Adult Children of Emotionally Immature Parents

假性孤兒

他們不是不愛我，但我就是感受不到

琳賽・吉普森（Lindsay C. Gibson）著
范瑞玟 譯

｜各界推薦｜

或許原著劇本不盡人意，因為編劇父母不願寫入情感戲。忽視心理需求像無形的刀劍，在匱乏的情感下成長，內心滿是傷痕，心痛無人知曉。但現在你可以拿起這本書，重新改編屬於自己的人生劇本，擁有所期待的結局。

——王意中（王意中心理治療所所長、臨床心理師）

一個壓抑、封閉情感的家庭，親子關係的情感疏離，影響的是一生與他人情感連結的能力。在內心深處也始終難以擺脫「孤兒」感受，不知道究竟自己歸屬於何？自己又與誰有所關係？如果這是你的處境，相信這一本書是你需要的。

——蘇絢慧（諮商心理師、心理叢書作家）

童年時期遭受愈多創傷的人，在成年時期會有愈高的機率承受各種身體和心理健康問題。而各種童年逆境中，有一種看不見傷口的傷害，就是擁有「情感缺失」的父母。無法回應你的情緒需求、常常以自我為中心，以滿足自己的需要和感覺為主，如果你認為你的父母符合情感缺失描述，這本書就是一個幫助你了解和復元的好工具。

——留佩萱（美國國家認證諮商師）

｜各界推薦｜

《假性孤兒》是以心理治療師的心和智慧，加上鑽研心理學理論與研究數十載的學術結晶所寫成。琳賽．吉普森完美結合了令人欽佩的知識和她個案的真實生活經驗，創造出一本深入淺出且實用易懂的作品，這本書並不是責備，而是在於深入了解自己，並學習自癒。

——艾絲特．勒門．費里曼

（Esther Lerman Freeman，心理學博士、奧勒岡健康科學大學醫學院臨床助理教授）

孩子無法選擇父母。然而不幸的是，許多人的成長之路，卻歷盡了情感缺失父母所造成的人生困境。琳賽．吉普森帶著智慧與同情，讓讀者認識並了解這種有害的關係，並進一步開創新的、健康的療癒之道。書中提供了強大的自救機會，亦是心理治療師可推薦給此類個案的理想閱讀資料。

——湯瑪士．凱許（Thomas F. Cash，老道明大學心理學榮譽教授、*The Body Image Workbook* 作者）

琳賽．吉普森深具洞見的著作，提供心靈孤寂者按部就班、一步步走向自覺與自我療癒的旅程。作者揭露的案例、深具啟發性的練習，和真誠的洞見，引領讀者更明白如何與自己、與他人更完整的連結，適合所有感到與家人有隔閡、意欲尋求與人生及情感更交融的讀者。

——佩姬．史若達（Peggy Sijswerda，*Tidewater Women*、*Tidewater Family* 編輯及發行人，以及 *Still Life with Sierra* 作者）

| 各界推薦 |

琳賽．吉普森的《假性孤兒》是一本充滿真知灼見與同情的指南，適合所有想要了解、克服因生長在情感貧瘠的家庭中而長期受其衝擊的讀者。在書裡，能找到睿智的建言和簡單的練習，幫助你擺脫舊的模式，與自己和他人更深入交融，最終成為原本注定該成為的人。

——羅納德．費德烈克

（Ronald J. Frederick，心理學家、*Living Like You Mean It* 作者）

琳賽．吉普森心理治療師有著豐富經驗，她的著作《假性孤兒》做為成人自救指南，以解除因父母情感缺失而造成的焦慮、憂鬱和感情問題。這本書徹底而詳盡的描述了不成熟的父母、歷經他們教養的孩子的體驗，並且提供方法解決這樣的經歷所造成的問題。書中的許多有用經驗，來自作者所治療的個案；書中也有許多幫助了解自己的練習，任何人都能運用這本書培養成熟的情感能力，並建立更深厚的關係。

——尼爾．華生（Neill Watson，威廉與瑪麗學院心理系研究教授、榮譽教授、臨床心理醫師，專門研究焦慮、憂鬱、心理治療）

各界推薦

根據長年閱讀、研究，並實際應用在診療上，心理學家琳賽・吉普森寫出一本傑出著作，介紹情感缺失父母如何影響孩子成年後的生活。我深切向所有想了解親子動力（Parent/Child dynamic）的讀者推薦《假性孤兒》這本令人振奮的書，為那些難以或無法和「缺乏同理心且不敏感的父母」建立關係的人，提供希望和絕佳的因應策略。《假性孤兒》充滿智慧，無論你的年齡為何，都能讓你和家人、朋友以最健康的方式連結，並且可能讓你體悟，何以新聞和大眾文化中充斥著這些失衡的交流。

——羅賓・卡特勒（Robin Cutler，歷史學家、*A Soul on Trial* 作者）

琳賽・吉普森的《假性孤兒》充滿了臨床實際案例，能引發被情感缺失父母撫養成年的孩子們共鳴。書中也提供了實用的建言和練習，幫助人們找出真正的自我，並避免觸及潛藏在自我形象、情感關係和幻想中會危害個人心理健康的暗礁。最後，這本書也提供了堅實且明確的方針，指引人們如何與情感缺失父母互動，以免重蹈痛苦且有害的過去經驗。讀者將會發現自己並不孤單、感受到這位傑出臨床心理師的理解，而得到寬慰。

——芭芭拉・文斯蒂德（Barbara A. Winstead，老道明大學暨維吉尼亞臨床心理學聯合計畫心理學教授、*Psychopathology: Foundations for a Contemporary Understanding, Third Edition* 共同編輯）

目錄

—各界推薦— 2
—致謝— 19
—自序—忽視童年心理需求，成年後不易幸福 22

Chapter 1 缺愛的童年，孤單的成年 30

生長在情感缺失的家庭中，是很孤單的體驗
什麼是健全的親密關係
父母匱乏的情感，帶給孩子孤寂的感受
案例 1 彷彿漂流在汪洋中的大衛
案例 2 沒人關心的朗達
為何悲傷的過往，會不斷重演？

案例3 遇上不體貼情人的蘇菲

為什麼我們會因為自己不快樂，而有罪惡感

不論男女，都會有情感孤寂的狀況

案例4 不敢說真話的傑克

情感孤寂的感受，也會出現在與父母和朋友間的相處

案例5 被母親控制的露意絲

否定自己的直覺，反而選擇了錯誤的對象

案例6 覺得不受丈夫重視的梅根

受傷的自信心，讓我們無法向外尋求幫助

案例7 覺得自己不值得被愛的班

案例8 無法分享喜悅的夏綠蒂

光鮮亮麗的外表下，依舊隱藏著童年的孤獨創傷

案例9 獨自面對一切的娜塔莉

為何缺乏情感交流的生活是有害的？

Chapter

2 為什麼我們就是無法感受到父母的愛？

了解情感缺失父母的特徵

評量1 父母的情感健全度

如何區別「情感缺失」以及「偶爾情緒化」

怎麼樣才是情感發展健全？

情感缺失者有哪些特質

案例10 與父親角色錯置的芙麗妲

代代相傳的舊式育兒方式，讓許多人關上了心門

案例11 艾莉與麻木不仁的媽媽

案例12 莎拉與壓抑情感的媽媽

孤單的童年經驗，造就了情感缺失者

案例13 很會看臉色的伊麗莎白

案例14 卸下母親心房的漢娜

對情感缺失者來說，深度情感交流具有威脅性

情感缺失者的思考模式通常是狹隘的

Chapter 3 不斷體會到「情感遺棄」的童年 78

生命本能，讓我們無法推開情感缺失父母

評量2 童年時期和父母相處的難題

為何我們難以和父母溝通？

案例15 布蘭達與自我中心的母親

缺乏情感交流會激起我們的憤怒

情感缺失者會用情緒傳染的方式來溝通

情感缺失者不願承擔自己該付的情感工作

情感缺失者渴望但無法接受他人關心

情感缺失者抗拒修復關係

情感缺失者期待孩子「鏡映」並理解他們

案例16 辛西亞與不願孩子獨立的母親

情感缺失者將自尊建立在他人的服從上
情感缺失者眼中神聖的「角色順從」機制
情感缺失者要的是情感糾葛，而不是親密感
案例17 覺得媽媽只愛姊姊的海瑟
案例18 獨立的馬克與偏愛弟弟的父親
案例19 被父母忽視的比爾
片段的時間感，讓情感缺失者無法一致的處理關係

Chapter 4
恐懼親密感的四大類型「情感缺失父母」
100

讓孩子心理孤寂、沒有安全感的情感缺失父母
育兒方式如何影響嬰兒的依附行為
四大情感缺失父母：情緒化、神經質、消極型、冷漠型
情緒化父母：善變且容易情緒失控
案例20 布莉塔妮與只在乎自己感受的媽媽

神經質父母：過度涉入孩子的生活

案例21 努力讓爸媽高興的約翰

案例22 被父親控制的克莉絲汀

消極型父母：面對高漲的情感，只會消極躲避

案例23 不期待爸爸保護的莫莉

冷漠型父母：彷彿身邊豎立著高牆、難以靠近

案例24 貝絲與冷漠的母親

評量3 了解父母的情感缺失類型

Chapter 5

在缺乏愛的家中，我們只能埋藏真實的自我

隱藏真實自我，只為了在家中占有一席之地

在情感缺失家庭長大，為何會有療癒幻想？

療癒幻想如何影響成年後的人際關係

孩子的真實自我得不到適當回應，就會開始扮演「偽自我」

情感缺失父母如何影響偽自我的發展
練習1 認清自己的療癒幻想與偽自我
因應情感缺失父母的兩種類型——內求型與外求型
混合型因應模式：結合了內求型與外求型人格
評量4 找出你的因應模式
情感缺失父母，大多是外求型人格
案例25 覺得被枷鎖鍊住的羅尼
案例26 透過藥癮逃避生活的榮恩
不論是外求型或內求型因應模式，都有可能是助力或是阻力

Chapter 6 渴求親密感，為什麼讓我們更容易受傷？ 144
敏銳而容易受傷的內求型人格
內求型人格對情感更敏感且敏銳
內求型人格具有強烈的情感

內求型人格，需要深刻的情感連結
案例27 對情感缺失父母感到憤怒的蘿根
內求型人格具有強烈的社交本能
內求型人格會因為自己需要幫助，而感到羞愧
內求型孩子在家中不顯眼、容易被忽略
案例28 從小被迫獨立的珊卓
案例29 接手照顧姪子的貝絲妮
案例30 在治療時拚命道歉的莉亞
過於獨立的內求型人格
內求型人格會認為受虐是正常的
在關係中，內求型人格會負起維繫感情的工作
案例31 吃力不討好的凱蒂絲

Chapter

7

痛苦的症狀，提醒我們誠實面對自己的感受

168

什麼才是真實的自我？

不斷成長、被了解，以及表達，滿足真實自我的需求

練習2 學會喚醒真實自我

先破壞舊有的心理模式，才能覺醒真實的自我

案例32 想要成長的愛琳

如何擺脫過時的偽自我？

案例33 破除童年咒語的維吉妮亞

練習3 學會從自我毀滅的偽自我中解放

看見你的真實感受、放棄「終將得到愛」的療癒幻想

案例34 不再克制自己只能有「對的感受」的蒂朵

練習4 察覺你是否有隱藏的情感

我們所恐懼的「憤怒」，其實代表真實自我即將顯現

案例35 學會對自己誠實的小潔

當我們看清事實，才能善待自己

案例36 重新定義自我價值的蕾娜

成年後的戀愛關係，容易觸發過去未被滿足的情感需要

案例37 找到自我價值的麥克

不再「理想化父母」，用更客觀的方式面對他們

案例38 懂得客觀看待母親與丈夫的佩西

學會欣賞自己的能力

從心理治療，學會建立新的價值觀

案例39 開始爭取自己權益的艾隆

面對並處理痛苦的內在與情緒，才能擺脫童年的情感傷害

Chapter 8 學會不再乞求父母無法給予的愛 188

孩子共同的療癒幻想——以為父母終會愛他們、關心他們

案例40 想得到母親認同的安妮

如何與情感缺失父母培養新關係？
案例41 從情感健全度覺知法找回自我的安妮
案例42 學會正視情感缺失母親行為的若雪

Chapter 9

擺脫痛苦的親子關係，找回真實的自我

208
哪些家庭模式，會讓我們陷入過去的角色
開始自在的當個不完美的人
案例43 被內在完美父母批評的傑森
自在的擁有真心的想法和感覺
自在的與情感缺失父母中止接觸
案例44 與母親保持距離的愛莎
自在的設下接觸底線、不過度付出，並且關注自己的真正需求
案例45 覺得被母親糟蹋的布萊德
學會疼惜、好好照顧自己

學會不再過分同理他人

案例46 學會控制想幫忙心態的蕊貝嘉

學會在需要的時候向外界尋求幫助

案例47 懂得掌控局面的可芮莎

學會自由的表達自己

案例48 導正父親話題的荷莉

學著與父母以新方式保有舊的關係

學會不再從情感缺失父母身上找到情感關注

Chapter 10 在未來的關係裡，學會找到情感健全的人

為什麼我們容易被自我中心、剝削他人者吸引？

情感健全者有哪些特徵？

案例49 泰倫與過於強勢的女友

案例50 在感情中犧牲自己的丹

案例51 希望丈夫自我反省的克莉斯朵
案例52 艾倫與沒有同理心的男友
案例53 覺得被丈夫忽視的吉兒
如何從網路交友，找到情感健全者
評量5 檢測一下，看看對方是否能給你想要的互動
培養有助情感的互動能力、邁向你想要的關係
練習5 讓自己從情感孤寂的童年中解放
—後記— 找回自我、找回完整的自己 254

致謝

寫這本書，不論從個人或專業角度來說，一直是我的夢想。我迫不及待將這些「在諮商工作中已經幫助個案多年」的想法分享出去。只是，當初完全沒有想到，實現這個夢想需要這麼多人的支持與幫助。而這些無私的支持與幫助，帶來的滿足感遠大於完成這本書。

這本書的緣起在夏威夷，一次因緣際會，我遇見後來在新哈賓格出版社擔任編輯的泰西莉亞．漢諾爾。她很喜歡這本書的概念，敦促我一路從發想、寫作到印刷。她總能給我有用的建議，並在本書付梓前，就預見了它的成果。我深深感激她對我的信任，以及對這本書堅定不移的熱忱。

新哈賓格出版社給我的支持超出我的想像，尤其要感謝編輯高手潔絲．畢柏，她總能修正我的寫作方向，且提出的修改建議總讓我躍躍欲試。也同樣感謝喬吉娜．愛德華茲、凱倫．海瑟威、艾迪雅．柯勒、凱蒂．帕爾，以及新哈賓格出版社的行銷團隊，將這本書推向需要的讀者。更感謝頂尖編審潔絲明．史塔不厭其煩的潤飾修改，讓整本書流暢易讀。

特別感謝我的經紀人蘇珊・克勞馥，她帶我走過出書的枝微末節，連度假時也耐心回答我的問題，我再也找不到更好的經紀人了！也感謝湯姆・柏德的寫作工作坊教會我如何寫書。

我很幸運擁有支持我的家庭，還有一群朋友為我打氣，更三不五時提供他們的童年經驗，充實這本書的內容。謝謝愛琳・英格蘭、瑪莉・安・柯利、茱蒂和吉兒・史奈德、芭芭拉和丹尼・佛布斯、麥菈和史考特・戴維斯、史考迪和茱迪・卡特、以及我的表弟兼共同作者羅賓・卡特勒。同時也感謝琳・佐爾不斷寄卡片跟電子郵件提醒我：「繼續寫！」還有謝謝雅莉珊卓・凱卓克，幫助我清楚表述書中的論點。

與我有多年情誼的博士班同學艾絲特・費里曼也是我的患難之交，好幾次都被我緊急叫來審稿、校訂、討論出書事宜，並提出許多寶貴建議。

由衷的感謝我親愛的姊姊瑪莉・貝柏克無私的支持與關懷。在寫作時，她的樂觀鼓舞了我，更是我的精神支柱。我何其幸運能有像瑪莉這樣，同時扮演了摯友和心靈導師的親人。

寫作期間，吾兒卡特・吉普森不斷喊著：「耶！媽咪！」他的熱情感染了我，為我加油。感謝他讓我的生命充滿朝氣，讓我相信凡事都有可能。

最後，我致上最深的愛與感謝，給我最棒的丈夫史吉普。一聽到出書的想法，他二話不說，想盡辦法幫我實現夢想。不僅在寫作期間照顧、支持我，還出資支持這本書，讓我感受到難能可貴、被真誠傾聽與被珍愛的經驗。因為有他，我才能展現真實的自我。

—自序—

忽視童年心理需求，成年後不易幸福

我們往往認為大人比小孩成熟。但有沒有可能，某些敏感孩子才到世上幾年，他的感情發展會比活了幾十年的父母親還成熟？**當這些情感缺失父母無法適當回應孩子的情感需求時，會有什麼後果？答案是：忽視心理需求的傷害和生理失能一樣沉重。**

若忽視童年時期的心理需求，孩子會陷入痛苦的心理孤寂中。成年後，談感情、選擇伴侶時，仍受童年影響而做出錯誤的決定。本書將說明情感缺失父母會對孩子（尤其是非常敏感的孩子）造成什麼負面影響，並讓這些由「抗拒親密感父母」帶大的「你」，從痛苦、混亂的情緒中解放，學會如何自我療癒。

情感缺失父母害怕進行深度情感交流，也怯於拉近心靈的距離，他們用虛與委蛇的態度逃避現實，不去面對也不懂得反諸求己，無法接受指責也絕不道歉。他們反反覆覆、情緒不穩定，也總是我行我素，無視孩子的需求。在本書中，你會看到情感缺失父母，往往為了自保而犧牲孩子的感受。

流傳已久的傳說和童話故事中不乏這類父母。許多故事中可以看到，小主角被漫不經心的父母弄丟了，必須求助動物或是他人；有的故事中，父母被描寫成壞心腸，讓自己的小孩自生自滅。這些故事能廣為流傳，是因為讓許多人心有戚戚焉——遭受父母忽視、被遺棄的小孩必須自力救濟，可見情感缺失父母，是亙古存在的。

藉由認識情感健全和情感缺失的差異，你就能明白為何得到再多愛、和別人再親近，你仍然感到無比孤寂。希望這本書能夠解答你長久以來的疑問，像是：和某些家人相處為何總是讓人挫折、換得遍體鱗傷？**一旦掌握了情感缺失的樣貌，你就能調整出較適當的期待，安然與他們的情感層次相處，不會因為得不到回應而受傷害。**

心理治療師都知道，唯有不讓有害的父母影響我們的情緒，才能恢復心靈平靜、重建情感上的自足。但要怎麼做呢？過去的文獻一直沒有完整解釋「為何自我中心的父母，給予愛的能力有限」，本書將說明這些父母為何欠缺基本的情感健全度。當我們摸清了前因後果，才能知道該和父母做何種程度的情感連結，才能活出自我，並且不被「拒絕改變」的父母傷害。認清「是父母不夠成熟」能讓我們明白：會受到他們的忽視，不是我們的錯，而是來自他們自身的問題，讓自己從心靈孤寂中解放。了解為何父母無法改變，能讓我們不再因他們而感到挫敗，也不再懷疑自己不值得被愛。

藉由本書，你將知道父母為何無法與你親情互動、給你愛的養分。也將知道父母為何總是不了解你、不夠關心你，而你再怎麼努力溝通，都無法改善。

如何從過往中覺醒、改變，並且擺脫情感孤寂

第一章將說明，為何受情感缺失父母養育的孩子會感到孤寂。從一些案例可以發現，親子間若缺乏深度情感交流，會影響孩子的成年生活。在這一章，你將會清楚了解情感孤寂的真實樣貌，並且察覺如何自覺，以扭轉乾坤、擺脫孤獨。

第二、三章探討情感缺失父母的人格特質，以及會導致哪些不良關係。理解父母有情感缺失問題，就能開始明白為何他們會有令人困惑的行為。書中的評量能幫你檢測父母情感發展的健全度，或許也能從中得知為何父母的情感發展很早就停止了。

第四章介紹四種情感缺失父母，從而找出自己的父母屬於哪一型。並講述在面對這些父母時，孩子習慣自我否定。

第五章會看到有些孩子為了扮演好「父母期許」的角色，切斷與真實自我的連結；他會不斷幻想別人該如何幫自己平撫過去遭受的忽視。你也會看到由情感缺失父母養大的孩子，會形成兩種截然不同的人格——「情感內求型人格」和「情感外求型人格」（這個訊息也能讓我們了解，為何親兄弟姊妹，在個性和行事風格上也有天壤之別）。

第六章將進一步細談「情感內求型人格」。內求型人格較願意學習自省、追尋自我成長，最可能成為這本書的讀者。內求型人格的覺察力很高，也非常易感，在社會互動和情感交流方面具強烈直覺。你會發現自己是否具有這樣的人格特性，尤其是性格上容易因為自己需要幫助而感到不好意思、在人際關係中經常擔起安撫情緒的責任，並且總是把他人需求排在第一順位。

第七章將闡述當舊的相處模式瓦解後，我們就會清醒、回頭照顧自己不曾被滿足的需求。通常，人們在這個時候會尋求心理治療。我將分享一些案例，看看他們如何從自我否定模式中覺醒、進而決定改變自己；在面對真實自我的過程中，會重新信任自己的直覺本能，並真正的認識自己。

第八章將介紹和他人連結的方式，我稱之為「情感健全度覺知法」，利用情感健全度來衡量情感功能層次，並逐漸用客觀方式看待他人的行為，讓你在情感缺失的徵象出現時有所覺察。你會學到如何面對情感缺失者，並且保護自己不受對方的情緒干擾，讓自己得到新的平靜與自信。

第九章將分享個案運用情感健全度覺知法後，重新得到自由、身心靈統合的實踐經驗。這些故事可以讓你擺脫情感缺失父母所帶來的罪惡感和困惑。只要專注於自我發展，就能脫離與情感缺失者的現有相處模式，走上自由的康莊大道。

第十章教你如何找出情緒穩定、可靠、會對你好的人，讓由情感缺失父母養大的你，放掉在面對他人時常有的自我否定傾向。若能在感情關係中運用這些技巧，就能永久脫離情感孤寂。

辨別情感缺失，解開你的迷惘與痛苦

讀完這本書，你就能辨別情感缺失的徵象、了解自己為何經常覺得孤寂、明白當你想和情感缺失者建立更進一步的親密感時，為何總是鎩羽而歸；你將學會如何控制氾濫的同情心，不再受人操弄或被不懂相互付出的人綁架情緒。最後，你會知道如何找到能和你建立親密感、圓滿交流的對象。

從事心理治療工作多年，大多時間我都在研究這個主題，也非常期待能分享我的研究結果。書中引人發想的故事，來自我所面對的臨床個案。我認為，無法客觀看見這個答案的原因，是因為被父母在社會中的形象所蒙蔽，但其實答案就在眼前。很高興終於能和世人分享這些一再被證實的觀點。

我希望能解除受到感情缺失父母影響的孩子，所遭受的迷惘和痛苦。若是這本書能幫你了解自己的心靈孤寂、建立更深入的情感互動和有益的親密感、明白自己的價值、不再受他人操弄，我的任務就達成了。你一定知道這本書將帶你前往何方，我想告訴你：「你的直覺是對的！」

致上最深的祝福！

To Skip, with all my love.

將我所有的愛，獻給丈夫史吉普。

Chapter 1

缺愛的童年，孤單的成年

生長在情感缺失的家庭中，是很孤單的體驗

情感孤寂來自和他人親密感不足。有的來自童年時期，自顧不暇的父母忽視了我們的情緒感覺；有的則是在成年後，因失去一段感情而有此感受。如果從小就有這種感覺，很可能是情感需求在孩提時期沒有得到足夠的回應。

生長在父母皆情感缺失的家庭，是很孤單的成長經驗。這些父母的外表和行為看起來一切正常，也會關心孩子的身體健康、提供溫飽、注意孩子的安全；然而，若不和孩子建立穩固的心靈互動，孩子就會欠缺安全感。

就像身體受傷會疼，不被關心的孤獨也會帶來痛苦，只是外表上看不出來。這種孤獨感是無邊無際的個人感受，別人難以看到，本人也無法形容。有人說是種「空虛」的

感覺，彷彿全世界只有自己一個人；也有些人稱之為「存在的孤寂」，諷刺的是當中什麼都不存在……而這個感覺，是家庭關係造成的。

孩子還小，沒辦法指出自己和父母之間的情感缺失，因為他們尚未發展出這個概念。他們只會感到發自內心的空虛，也就是孤單。當孩子感到孤單時，只要找情感健全的雙親尋求情感交流、撒撒嬌就沒事了。可是若父母畏懼深入的感情交融，孩子可能會感到羞愧難堪，覺得撒嬌很丟臉。

被情感缺失父母養大的小孩，長大後表面上看起來很正常，但內心的空虛未曾消失。如果交往對象無法給他們足夠的情感，孤獨感就會延續。在求學深造、工作、結婚、生小孩上，仍無時無刻感到孤單寂寞。接下來，我將分享他們的孤獨經驗，在自我察覺後如何幫助他們了解自己缺少什麼、該怎麼改變。

什麼是健全的親密關係

若有健全的親密關係，什麼事情都可以告訴對方、無論情緒好壞都可以展現，也不必保留。向對方敞開心房時，無論用言語傳達，或透過眼神交換，甚至是靜靜的坐在一起感受彼此的交流，都讓你有安全感。親密感健全是種深刻的滿足，覺得對方可以看見真實的自己，這種感覺只在對方真心想了解，而不是批評你的時候出現。

孩子的安全感建立在與照顧者的情感互動，情感健全的父母能讓孩子隨時感受到支持，這種安全感來自和父母的真情互動。這些父母幾乎隨時都能與孩子有深度的情感連結，他們有足夠成熟的自我意識，能安然自在的面對他人或處理自己的情緒。更重要的是，他們在孩子身上投注情感、留意孩子的心情、並認真看待孩子的情緒，不管是尋求安慰或是分享，都會讓孩子有安全感。孩子感受到爸媽喜歡和自己相處，若有情緒困擾都可以找爸媽。這類父母在感情上可靠、情緒穩定分明，並且會主動關懷孩子。

父母匱乏的情感，帶給孩子孤寂的感受

另一方面，情感缺失父母總是自顧不暇，無法注意到孩子的感受、吝於表達情感，也害怕親密感。他們對自己的情感需求不知所措，也不知道該怎麼提供情感上的支持。當孩子難過的時候，這類父母可能會緊張、生氣，他們以處罰代替安慰，但卻讓孩子不再與外界情感交流，從此關上心門。

倘若你的雙親中，有人不夠成熟、不懂得給予情感支持，孩提時代的你一定會感受到情感匱乏帶來的影響，但未必知道是哪裡不對勁。你反而會覺得自己很奇怪，因為別

人都沒有這樣空虛、孤單的感覺。然而，你只是孩子，根本不知道這種空虛的感覺，是缺乏適當陪伴所產生的普遍且正常的反應。**「情感孤寂」其實也暗示化解的辦法，也就是「接受他人主動關心你的感受」。這種孤寂感並不奇怪也不愚蠢，而是成長過程中缺乏關愛的必然結果。**

情感孤寂到底是什麼感覺？就來看看這兩個人如何生動描述自己鮮活的童年回憶：

案例1

彷彿漂流在汪洋中的大衛

當我告訴大衛，在他的家庭長大似乎很孤單，他這麼回答：「真的很孤單，彷彿我被完全孤立。這就是我的真實生活，家中每個人都很疏離，彼此在情感上隔絕，各過各的、完全沒有交流，但又覺得這種狀況很正常。高中時期，我常常覺得自己像汪洋中的一艘船，那正是家裡給我的感覺。」

我再問他孤單是什麼感覺？他說：「就是空洞、虛無的感覺，我不知道大部分的人不會這樣，但我無時無刻不感到空虛、孤單。」

案例2

沒人關心的朗達

朗達也有類似的回憶。七歲時，她和父母以及三個兄姊站在舊家外的搬家卡車旁，雖然家人都在身邊，但沒有人關心她，她覺得非常孤單：「當時沒有人告訴我為何要搬家，我覺得好寂寞、好想知道發生了什麼事。明明家人就在身邊，但我彷彿不是其中的一分子。我記得當時覺得身心俱疲，思考著該如何自己處理這個情緒。當時的我覺得無法開口問任何問題，家人完全拒絕與我交流。我太焦慮了，完全無法與他們分享任何感受，只知道必須自己面對。」

情感孤寂背後所傳遞的正面訊息

實際上，這種痛苦情緒與孤獨感是健康的訊息。大衛和朗達的焦慮是他們需要情感交流的警訊，若父母沒注意到，他們就只能把感覺深藏內心。當我們明白孤寂感的起因，就是邁向健全關係的第一步。只要敞開內心、開始傾聽，你就能學習如何與他人真情交流。

孩子如何處理情感孤寂？

痛苦的情感孤寂，會讓孩子想盡辦法與父母交流。**這些孩子可能會學會「為了換取感情，而將他人的需求擺第一」**。他們不期待別人主動付出、表達支持，反而擔負起救苦救難的角色，卻讓人以為他們不太需要被關心。不幸的是，這樣只是更隱藏自己的內心、無法與他人真心交流，變得更孤獨。

當父母疏於提供支持與交流，許多得不到適當情感的孩子便亟欲脫離童年，他們覺得最好的辦法就是快快長大、自力更生，儘管早熟但內心充滿孤獨。他們通常過於老成、很早就出社會、性生活活躍、早婚或入伍從軍，彷彿在表示：「既然我能照顧自己，何不提早享受長大的好處？」他們期待長大，相信長大就能自由、找到歸屬。悲傷的是，急著離家反而容易遇到錯誤的對象、任人壓榨或死守薪資低廉的工作。他們經常安於在關係中感到情感孤寂，因為這樣的狀況和小時候的家庭生活一樣，對他們來說是「正常」的。

為何悲傷的過往，會不斷重演？

若因父母情感缺失、缺乏適當親情而感到痛苦，那為何許多人長大後仍然陷入類似的輪迴？**大腦本能告訴我們「熟悉即是安全的」，因為知道該怎麼應對，便本能的受到曾經歷過的事物吸引。**小時候，我們害怕看到爸媽的缺點、無法承認父母非聖賢。不幸的是，不願承認爸媽不完美，長大後就無法辨別出錯的對象。「否認」讓人重蹈覆轍，而蘇菲的故事，正好是這個惡性循環的寫照。

案例3

遇上不體貼情人的蘇菲

蘇菲和傑瑞交往五年，她有個薪水不錯的護士工作，也很幸運有段穩定的感情。三十二歲那年，她想結婚了，但傑瑞只想維持現狀。傑瑞是個風趣的人，但似乎不願意更進一步，只要蘇菲想聊內心話他就關上心門，這讓蘇菲感到非常挫折。她尋求治療，想找出解決辦法，卻也讓她陷入兩難：她愛傑瑞，可是就快要成為高齡產婦，但也擔心自己要求太多。

有一天，傑瑞約蘇菲去初次約會的餐廳，他的表現讓蘇菲以為傑瑞要求婚了。整頓飯吃下來，蘇菲難掩興奮之情。

用完餐後，傑瑞從外套口袋掏出一個首飾盒，順著絲滑的桌巾推到蘇菲面前。蘇菲幾乎無法呼吸，但當她打開盒子一看，裡面躺著的不是戒指，而是一張畫了問號的小紙片，這讓蘇菲一臉困惑……

傑瑞向蘇菲做了個鬼臉，說：「這樣妳就可以跟朋友說我問了。」

「你在求婚嗎？」她摸不著頭緒。

「不是，只是個玩笑，懂嗎？」

蘇菲既驚訝又憤怒，而且非常受傷。她打電話告訴母親，但母親卻站在傑瑞那邊，說這個玩笑很好笑，蘇菲犯不著生氣。

「我不覺得哪裡好笑，這讓人洩氣也很侮辱人。」

後來，蘇菲發現，母親和傑瑞都非常不體貼他人的感受，向他們訴說心情反而是自己倒楣。

在治療過程中，蘇菲看到缺乏同情心的母親和不體貼的傑瑞有多相似。和情感缺失的傑瑞交往時，她發現自己又重新感受到小時候的情感孤寂。也終於明白，與傑瑞談戀愛時的挫折感並不是現在才有，而是從小開始，蘇菲一直有無法情感交流的感受。

為什麼我們會因為自己不快樂，而有罪惡感

我很同情蘇菲這種人，這些人過得很好，其他人也不認為他們會有問題。但反而讓他們無法認清自己的痛苦。「我什麼都不缺，」他們會說，「我應該要快樂，但為何我總覺得好像少了什麼？」如果小時候只有生理需求得到滿足，但情感需求一直不能圓滿時，就會有這類型的困惑。

這些人會不好意思抱怨，不論男女都會列出一長串要感謝的事，彷彿他們的人生是一道加法，只容許得出正數的結果。但他們揮不去心底的孤獨寂寞，在親密關係中也缺

乏自己渴求的親密情感。

當他們找我諮商時，不是正要離開另一半，就是身陷外遇關係以填補心靈上的空虛。有的視承諾為圈套，乾脆做個「感情不沾鍋」；有的為了孩子決定維持婚姻，所以尋求治療，學習怎樣才能不生氣、不怨恨。

只有少數人來找我時，知道自己的童年缺乏足夠的親密交流。通常，多數人想不透為何自己不開心，他們想得到更多，卻覺得這樣好自私，所以經常內心交戰。就像蘇菲剛來諮商時曾說：「感情總是伴隨挫折，一切都需要經營，對吧？」

她只說對了一半，**良好的感情確實需要付出與寬容，但不是為了得到關注，雙方的情感交流必須是容易的。**

不論男女，都會有情感孤寂的狀況

情感交流是人類的基本需求，無關性別。儘管尋求心理治療的女性多過於男性，我仍然治療過許多在早期人際關係中感到孤寂的男性。大多數人認為男性的情感需求較低，可是看看自殺率與犯罪數據就知道，他們在某些方面比女性更痛苦。或許他們沒有表現出來，但缺乏親密感、歸屬感或關心的男性一樣會有空虛感。

孩子一旦發現無法與父母情感交流，常常會扮演他們認為父母所期許的角色，以強化與父母的連結。這麼做或許能贏得一時的讚許，但仍然不是真誠的情感交流。畢竟情感缺失父母不會因為孩子取悅了他們，就突然發展出同理能力。

不論男女，童年缺乏情感互動的人通常不相信有人會愛上「真正的」自己。他們深信，想要拉近雙方的關係，就必須扮演以對方為重的角色。

案例4

不敢說眞話的傑克

剛結婚時，活潑的凱菈經常讓傑克有被愛、快樂的感覺，但現在傑克卻非常憂鬱。

「我應該是快樂的，」他說，「我是全世界最幸運的男人，也努力成為她想要的男人。但我痛恨這種假裝的感覺，總覺得好像在演戲，勉強自己樂觀。」

我問傑克，凱菈看見的他是什麼樣子？

「我應該像她一樣快樂。我應該讓她覺得被愛、讓她永遠快樂。」他望著我，想獲得我的肯定。但是在我開口前，他又說：「凱菈下班回家時，我會裝出開心的樣子，但我覺得這樣好累。」

我問傑克，如果告訴凱菈其實他是勉強裝出開心的樣子，會怎麼樣？他說：「如果說實話，她可能會又驚又怒吧。」

我告訴傑克，雖然小時候曾經因為說出內心感覺而惹怒別人，但聽起來凱菈並不會這樣。傑克的描述比較像他易怒的母親，會在別人不聽命行事時爆發。

傑克和凱菈間的穩定情感應該能讓他輕鬆做自己，但傑克卻深信：如果不努力就會毀了這段關係。

當我告訴傑克，或許這段全新且安全的關係，能讓真正的自己有機會被愛。而被點出情感需求讓傑克有點不安，他不自在又難為情的說：「聽妳這樣說，我好像可憐又黏人。」

傑克從小便從母親那裡接收到「弱者才有情感需求」的訊息，若他不照母親的意思做，他就是不乖、不值得被愛。

傑克終於了解自己的心情，也更能對凱菈敞開心房，同時凱菈也完全接納他。發現自己對母親懷抱很深的怨氣，傑克驚訝的說：「不敢相信我這麼恨她。」傑克不知道的是：當有人毫無理由的控制你時，有恨意是正常、不由自主的，因為這表示「那個人正在磨滅你的感情、犧牲你來滿足他的需求」。

情感孤寂的感受，也會出現在與父母和朋友間的相處

這種孤寂感不只存在兩性關係中。我接觸的個案裡，單身者也會有同樣的感受，然而他們不快樂的交流，是與父母和朋友間的相處。常見的狀況是，他們維持單身的原因，是因為與父母之間的關係如此貧乏，以至於不想付出心力談感情。他們從父母那裡學到「關係是麻煩且會被拋棄的」，加上疲於應付視他們為附屬品的父母，人際關係對他們來說就像人生陷阱一般。

案例5

被母親控制的露意絲

近三十歲時，單身的小學老師露意絲覺得自己被控制狂母親主宰了。母親原本是不苟言笑的女警，要求女兒同住以便照顧她。面對母親的諸多要求，露意絲有了輕生的念頭。露意絲的治療師直截了當的告訴她，她得脫離母親的控制才能擁有自己的生活。當露意絲告訴母親她要離開時，母親說：「不可能，妳絕對會受良心譴責，而且沒有妳，我活不下去。」

幸運的是，露意絲鼓起很大的勇氣建立獨立生活。在過程中，她發現罪惡感是可以承受的，而且只是自由的一點代價。

否定自己的直覺，反而選擇了錯誤的對象

情感缺失父母不懂如何面對孩子的心情和直覺，孩子因此學會讓步，採取對方能接受的策略。孩子長大後會否定自己的直覺，反而選擇錯誤的對象。孩子可能會相信得靠自己來改善關係，將努力經營感情的原因合理化，認為：和另一半相處，每天天人交戰是必經過程。**雖然維持溝通和交流確實需要努力，但不該是永遠做不完的白工。**

若是兩情相悅、彼此了解、相互支持，這段感情的基調會是輕鬆愉快的，期待看到對方或見面時會感到開心並不貪心。若有人說：「沒有人可以擁有全部。」其實是在傳達他沒被滿足的情感需求。

若感情上不滿足，我們會知道；得到足夠的愛時，我們也會知道。你不是需索無度的無底洞，當你感覺少了什麼的時候，你可以相信自己的直覺。可是，若被訓練成否定自己的感覺，當外人看來沒問題的時候你卻抱怨，就會產生罪惡感。如果你有固定居所、有固定薪水、有足夠的食物，還有伴侶或朋友，你的常識告訴你：「還有什麼不好的呢！」

大多人能立刻列舉讓自己滿足的理由，而羞於承認自己的不滿足，並且因為自己沒有「對的」感覺而自責。

案例6

覺得不受丈夫重視的梅根

大一懷孕前，梅根和男友二度分手了，男友想要結婚，但她就是覺得這段感情不對勁；然而，父母很喜歡家境優渥的男友，一直逼她嫁給他，何況孩子都有了，所以梅根只好投降。

幾年之後，丈夫成了成功的地產經紀人，父母親對女婿愈看愈滿意。許多年過去，三個孩子都上大學，而梅根已經準備好要離婚，但是離開的想法，卻讓她感到罪惡又困惑。

第一次見面時，梅根告訴我：「我不知道怎麼說出心裡的話。」丈夫和親生父母都無法理解她到底有什麼不滿，她也無法為自己辯駁，不論怎麼解釋，他們都有許多理由反駁。他們不相信梅根的理由，因為所有抱怨都只是感覺，像是：不被傾聽、感覺和要求不被重視、跟丈夫相處味同嚼蠟。梅根想讓他們明白，她跟丈夫在交友、性生活、日常活動完全無法配合。

梅根的問題並不是不懂得如何訴說，而是家人聽不進她的話。丈夫和父母不願意了解梅根的問題，只專注在說服梅根是錯的。

梅根覺得難堪、充滿罪惡感，因為她把自己的情感需求看得比婚姻誓約與承諾還重；

但我指出：感情的動力並不是誓約與承諾，而是建立在健全愉悦的親密感——對方願意傾聽並了解自己。如果感受不到親密感，感情就無法成長茁壯，因為雙向情感交流是人類感情中最基本的要素。

離開丈夫的想法讓梅根害怕自己成為壞人。當有人再也無法忍受得不到心靈回應的感情，該如何描述想離開的心情？自私？衝動？還是無情？說他們太早放棄，還是不道德？都忍這麼久了，怎麼不再堅持一下？為何要無事生非？

也許正是「都忍這麼久了」，也許已用盡了所有力氣。就像梅根，多年來都在滿足丈夫和父母的期待。她想表達心情，說她有多不快樂，甚至寫信跟丈夫溝通，但丈夫和父母只會回過頭來要求她，而這些舉動都是情感缺失者會有的自私回應。

幸好，梅根終於認真對待自己，不再讓丈夫及父母否定她的情感需求。當梅根終於知道自己想要什麼樣的關係時，她羞怯的告訴我：「我想要有人覺得我最重要，我想要有人渴望跟我在一起。」接著她滿臉狐疑的問：「這樣是不是要求太多？」從小，梅根就被教導：想成為特別的人、渴望被愛，是自私的。進入婚姻後，丈夫說她要求太多、期望太高，更強化她的錯誤信念，直到她開始相信自己的感受。

受傷的自信心，讓我們無法向外尋求幫助

被父母抗拒或忽視情感需求的孩子，長大後常會遇到相同狀況：他們缺乏自信、不相信別人對他們有興趣，所以內心糾結、怯於尋求關注，也不敢說出自己的需求，害怕會打擾到他人。然而，一再重演過去的經驗——退縮、不與人互動——最後只落得滿腹鬱悶，陷入更深的孤獨。

身為治療師，我的工作就是告訴他們：父母如何傷了他們的自信心。同時幫助他們熬過焦慮、嘗試用新的方法溝通。其實人們完全可以度過這樣的難關，但下面兩個故事告訴我們，無法解決是因為他們沒有向外尋求幫助。

案例7

覺得自己不值得被愛的班

班一直都很焦慮、沮喪，他說：母親總是與他保持一公尺以上的距離，不讓人接近；她專橫跋扈，讓班覺得自己在家中地位很低。從小，班的需求和心情完全不受重視，只能默默等待大人給予關心。

幸運的是，班娶了親切、熱情的艾蕾莎，但卻想不透艾雷莎為何會選擇自己。他說：「我不是有趣的人，我不知道艾蕾莎為何喜歡我，雖然我不是一無是處，可是……」班

的語氣透露，他認為自己理應被人忽略。童年時期，被母親排拒的經驗嚴重打擊他的自信心，也讓他深信所有人都和母親一樣，反感他的情感需求。

某次晤談中，班說不快樂的感覺讓他幾乎無法承受，我問他是否願意告訴艾蕾莎自己的內心感受，他說：「不行，她有自己的問題要煩惱。我不想讓她覺得我是個無法解決問題的窩囊廢。」我表示艾蕾莎應該不會這樣想，他卻說：「我知道她愛真正的我，但我並不喜歡真實的自己。」

我建議班試著對艾蕾莎說出心聲，這樣艾蕾莎才能給予他支持，班卻說他應該要更自立自強：「我應該自己面對自己的情感需求，不是嗎？」

真是孤獨的想法！我告訴班，我們都需要他人回應想被安慰、親密感的需求，畢竟感情不是一個人的事啊！

案例8

無法分享喜悅的夏綠蒂

夏綠蒂是被父母排拒情感需求的另一個案例。在朋友不斷鼓吹之下，夏綠蒂決定參加短篇故事比賽。儘管她已是小有名氣的報社記者，她仍不相信評審會喜歡她的作品。但出乎意料，她贏了。

這個結果勾起夏綠蒂的痛苦回憶：當她試著展現自己時，都會引來父母的批評與羞辱。雙親無法給她精神支持，卻找一大堆理由貶抑她的成就。當夏綠蒂為得獎雀躍不已時，卻又害怕有人出來嘲諷她、說她不夠格，所以她決定不告訴任何人。她告訴自己：「反正沒人想知道。」

光鮮亮麗的外表下，依舊隱藏著童年的孤獨創傷

被父母排拒情感需求不一定會自信心低落。有些聰明、具調適能力的人反而會發揮自信、追求事業成功、出人頭地。也有許多人找到情感健全的伴侶、享受穩定的關係，並共築家庭。可是，儘管他們的情感需求已獲得滿足，童年的孤獨創傷仍揮之不去，而以焦慮、憂鬱或是噩夢等方式糾纏著他們。

案例9

獨自面對一切的娜塔莉

五十歲的娜塔莉是個獲獎無數的商業顧問，儘管童年飽受情感忽視，但成年後卻是人生事業雙贏。然而，小時候的孤獨仍化為噩夢不斷騷擾她，她描述：「我一直做同樣的噩夢，夢中我陷入無法逃離的絕望，在不同的路、不同的鑰匙、不同的門中，想盡辦法找到出口，可是沒有一個是對的。我孤立無援，只能獨自解決問題。好幾次，身旁的

人都指望我找到出口，但卻不協助我，也沒有人安慰我，即使身陷危險也沒有人保護我，醒來時心跳好快。」

娜塔莉的夢境正是情感孤寂的寫照，她從不尋求幫忙，獨自應付一切。情感缺失父母的孩子經常有這種感覺：父母看似在身邊，卻極少提供協助、保護或安慰。

娜塔莉和先生、孩子同住，但仍須照顧年邁的母親。可是無論她做得再多，母親仍然會埋怨娜塔莉不夠愛她、不幫她。娜塔莉從小就覺得自己得為母親的情緒變化負責，加上母親從不幫她，娜塔莉還必須照顧自己。這樣的孩子常會像個小大人，照顧爸媽、不給爸媽添麻煩，而且看起來無欲無求，幾乎可以自己照顧自己了。但其實不然，沒有小孩能辦到，他們只是死命攀附在情感碎片上，任何情感都聊勝於無。

當事業成功的娜塔莉意氣風發的走進會議室，誰會猜到在她光鮮外表下隱藏了童年的不安全感？她婚姻成功、兒女有成，也擁有好朋友，她從生活中學會如何與人交往，情緒智商高到破表。但噩夢不斷揭示心中殘存的孤獨，儘管成年後的人生非常圓滿，內心仍然脆弱焦慮、害怕落單與無人支持。直到快五十歲，才明白餵養她內心深層焦慮感的，是她與母親的關係。這個生命中的重大發現，讓她終於知道噩夢的起源。

為何缺乏情感交流的生活是有害的？

人類需要和他人進行情感交流的原因是：演化過程中，成為群體的一分子可以提高安全性、降低壓力；愈不喜歡獨居，愈有可能存活。人類能透過與他人緊密連結，享有安全的感覺；相反的，若是獨居，可能會住在離人群較遠的地方，也許他們覺得舒適，卻不利於生存。

當你渴望得到深度情感交流時，提醒自己：痛苦的孤寂感並非只來自你的過去，也來自人類的演化史。遠古的祖先同樣有強烈的情感需求，希望受到關注、期望心靈交流自人類出現時就有了，不喜歡孤獨是很正常的。

總結

缺乏情感親密會引發孩子、成人的孤寂感。傾聽和給予精神支持是孩子的安全感來源，然而情感缺失父母通常畏懼親密感，無法給予孩子所需要的情感連結。

受父母忽視或拒絕情感需求的孩子，可能會影響自信心，以及成年後的感情狀況；人們傾向重複讓人受挫的行為模式，然後因為不快樂而自責；即使成年、功成名就，早年與父母感情疏離的影響也揮之不去。

了解自己是受到父母情感缺失影響，是避免在成年後的人際關係中重蹈覆轍的最佳辦法。下一章，我們將會談到情感缺失父母的典型特質。

Chapter 2

爲什麼我們就是無法感受到父母的愛？

了解情感缺失父母的特徵

客觀審視父母並不容易，因為會讓人有種背叛他們的感覺。但是閱讀這本書的目的並不是要輕蔑、背叛父母，而是學會客觀看待他們。討論情感缺失父母是為了深入理解「為何他們無法付出愛？」各位也會明瞭，那些不成熟、傷人的行為絕非故意。當我們從各個面向、不帶情緒的審視父母，你會看見從未被揭露的自己和過去。

大部分的人無法有意識的控制情感缺失行為，而大多情感缺失父母，也不知道自己對孩子造成的影響。我們不是要咎責，而是要了解原因。我希望藉由本書，各位可以對父母有新的見解，進而提升自覺、得到心靈自由。

所幸，成年的我們有能力評估「父母是否能提供我們需要的關注和理解」。我們不僅要了解父母外顯的行為特質，也要了解他們內在的感情架構，才能更客觀看待。一旦了解這些內在特質、辨認他們的行為、學會對父母抱持該有的期待，就能避免無意間又受到他們的情緒影響。

記住，這些想法只有你知道，父母可能永遠不知道你從這本書學到什麼，也不需要知道。讀這本書是為了看清自己的成長經驗，進而建立自信心。客觀思索、辨認父母的行為與情緒並不是背叛，卻能幫助自己。

第一章討論過，情感缺失父母會嚴重衝擊孩子的自尊心，並影響孩子成年後的親密關係。影響的程度視父母的情感健全度而定，但不論輕重，都會讓孩子覺得不被了解、感到孤寂。這種感覺會一步步侵蝕孩子的內心，認為自己不值得被愛，過度戒慎與他人建立親密感。

評量1

父母的情感健全度

人類研究情感健全度由來已久。然而多年來，這樣的研究愈來愈著重運用醫學疾病模式，去量化這些行為是否能作為精神疾病理賠的依據，而忽略了症狀與臨床診斷發展。然而，深入了解人心後，會發現評估情感健全度才是有效的。相信你看過下列的評量後，也會同意。

請將下列符合父母或繼父母的描述打勾：

□常為了點小事就大驚小怪、小題大作。

□不太表現同理心，或缺乏情緒自覺。

□聊到內心話或感覺時，就顯得不自在、打住話題。

□無法接受個別差異或不同看法。

□成長過程中總把我當密友，卻從不是我的知己。

□常常說或做些不顧他人感覺的事情。

□我很少得到他們的關心或安慰，除非生了重病。

□常前後不一致，有時開明，有時又不講道理。

□當我難過的時候會說些毫無幫助的場面話，或發脾氣、挖苦我。

□聊天話題只圍繞著他們感興趣的事情。

□就算婉轉表示不同意見，也會讓他們覺得受到冒犯。

□似乎不在乎我的成就，告訴他們反讓人洩氣。

□他們的意見總是與事實或邏輯不同。

□不會自我反省，絕少認為自己是錯的。
□傾向非黑即白的思考，無法接受新觀念。

你的父母符合幾項呢？這些選項都是「情感缺失」可能會有的特徵，因此勾選愈多，愈有可能是「情感缺失父母」。

如何區別「情感缺失」以及「偶爾情緒化」

情感缺失與偶爾情緒化不同。疲累或是壓力大時，每個人都可能會一時情緒失控或變得衝動。當我們回頭看看自己人生，也會發現自己在某些時刻變得畏縮。

然而，情感缺失者會無意識重複特定行為，不會察覺到自己正在做這些事。情感缺失者不會退一步思考自己的行為會對別人造成什麼影響。他們沒有退卻的理由，所以絕少道歉或後悔。

怎麼樣才是情感發展健全？

探討情感缺失前，我們先來看看健全的情感如何發展。這並不是晦澀的概念，也不乏完整且著名的研究。

「情感發展健全」意指具備客觀思考能力，同時能與他人維繫深度情感交流。情感健全者能夠獨立，但同時具有深度情感依附關係，並將兩者順暢的融入日常生活。他們直率的追求自己想要的事物，但不榨取他人；他們可以脫離原生家庭關係、建立自己的生活、具有發展健全的自我以及自我認同，並且珍惜最親密的關係。

情感健全者會自在而誠實的面對自己的感覺，健全的同理心會克制衝動、具有情緒智力（又稱為情感智力，監控自己及他人的情緒和情感，並識別、利用這些信息指導自己的思想和行為的能力），與他人相處愉快。情感健全者關心他人的內心世界、享受親密關係中的無所不談；遇到問題時，會和對方溝通、消弭歧見。

情感健全者用積極進取的方式調適壓力，自覺的處理想法和感覺，必要時會克制自己的情緒。他們懂得控制自己的情緒，在需要的時候可以預先思考、識時務，利用同理心和幽默感化解危急，並且強化與他人間的情誼。他們公正客觀且有自知之明，願意承認自己的缺點。

情感缺失者有哪些特質

情感缺失者則有相當不同的行為、情緒和心理特質，由於這些特質相互關聯，某種特質也可能伴隨其他的。其各種特質簡述如下：

思考制式且僵化

只要有前路可循，情感缺失者也能有好表現，甚至可以出人頭地。可是遇到與關係或感情有關的決定時，就會顯得不成熟，像是固執、衝動，或是將條件局限在他能控制的範圍裡。一旦有自己的想法，就永遠只有一個答案，聽不進別人的意見；當別人有不同意見時，就會變得嚴肅、產生防衛心。

抗壓性低

情感缺失者不善於處理壓力，很容易反彈且有制式化的反應。他們不懂評估狀況，反而用否認、扭曲，或是捏造事實等方式面對。他們無法承認錯誤，不顧事實責怪他人，且無法克制情緒、常常反應過度。一旦脾氣上來就很難平復，希望別人順他們的意、安撫他們。

只求一時快意

幼童的行為表現是順著感覺走的，大人則會三思而後行。情感健全者知道輕鬆的路未必有益；然而，情感缺失者像孩子般跟著感覺走，會因一時快感驟下決定，挑輕鬆的路走。

懂得三思而後行的人很難想像「只隨當下高興來過日子」，來看看一個令人咋舌的案例：安娜跟哥哥湯姆一起勸年邁的父親住進養老院。見到父親沒多久，該談正事的時候，湯姆突然不見人影。安娜找遍屋內，卻看到哥哥跳上車溜走了。她不敢相信也不懂湯姆怎麼能這樣做，不過，在那個當下，逃出屋外確實比面對衝突容易。

相當主觀，而無法客觀分析

情感缺失者很主觀，不太會冷靜分析。說明情況時，會著重於自己的感覺而非事實。事實如何不重要，他們的「感覺」才重要。讓主觀的人變客觀不太可能，對情感缺失者來說，事實、邏輯、歷史，這些都是馬耳東風。

難以尊重差異

有人抱持不同意見時，情感缺失者會覺得惱怒。他們認為所有人都應該與他們抱持相同的想法、無法接受他人有各自的見解。因為缺乏個體性的認知，他們老是以為自己被冒犯，所以常在社交場合失言。只有在角色明確的限定關係中、每個人都抱持相同信念時，他們才會自在。儘管某些人的個性比較安靜，但依舊會有相同的狀況，只不過表達方式比較溫和。

自我中心

孩子通常以自我為中心，但是情感缺失的成人卻更幼稚，也缺乏孩子的歡愉和率真。情感缺失者完全沉浸在自己的世界，但非出於孩童般的純真。孩子純粹受本能支配，所以會以自我為中心，但是情感缺失者則是出於焦慮及不安全感，就像受傷的人會不斷檢查自己是否完整無缺。他們沒有安全感，所以常常擔心自己會被當成壞人、不夠格或不值得被愛；他們的防衛心很強，以免他人太過靠近，進而威脅到他們殘存的自我價值。

在為他們感到難過之前，記住他們用防衛心將潛藏的焦慮掩埋得不露痕跡，深到無法自我察覺，他們可能永遠不知道自己沒有安全感，或是防衛心很重。

自我專注、自我沉浸

情感缺失者都有過度焦慮的特質，他們擔心被冒犯，也不斷的監控、確認自己的需求是否被滿足。他們的自尊隨別人的反應起起落落，因為無法接受批評，會淡化過錯。他們太專注於自我需求，顧不得別人的感覺。曾有位女士告訴自己的母親：聽到母親批評父親讓她很痛苦，母親卻說：「要是連妳都不能訴說，我就沒人可說了。」

「自我吸引」、「自戀」聽起來像是享受眷戀自己的感覺，但他們並非出於自願，而是懷疑自己生而為人的價值。他們的情感在童年受到焦慮阻礙，必須專注在自我。這樣的利己主義比較像長期處在疼痛狀態中的自我專注，而不是自我關注。

會自我參照，卻不會自我反省

情感缺失者非常喜歡自我參照，一切的互動都導向自己，但卻毫無自省能力。把焦點聚集在自己身上，並非為了深入了解自己，而是為了成為眾人關注的焦點。

跟他們說話的時候，自我參照者會把話題拉回到自身的經驗。例如：女兒在敘述感情危機的時候，母親卻趁機大談闊論自己離婚的事；還有父母在孩子成功時，卻開始憶及自己當年勇，搶走所有風采。

社交技巧高明的人也許會禮貌的傾聽，但誰也別想挑起他們的興趣。他們也許不會改變話題，卻也不會追問相關問題或其他細節，只會用輕快而有效的評語結束對話，像是：「親愛的，實在是太棒了，我知道你很開心。」

由於欠缺自省能力，情感缺失者無法負起責任。他們不會評量自己的行為，也從不懷疑自己的動機。惹出麻煩時，總說自己不是故意的，總不能責備他們的無心之過吧？他們關注的焦點還是自己，而不是要影響你。

喜歡成為焦點

情感缺失者就像個孩子，想要成為焦點。在團體中，主導者通常是情感發展最不健全的人。若沒有人反對，整個團體的注意力都會集中到那個人身上，一旦形成，就很難轉移該團體的注意力。若有人想找機會發言，就得唐突的轉換話題，但通常沒人願意。

你會想，這些人會不會只是外向了些？他們並不是外向，外向的人很容易跟著轉換話題，他們追求互動，而不是尋找聽眾，且希望也容許他人參與。外向的人確實喜歡說話，但絕不是為了讓別人都不准發言。

父母與孩子間的角色錯置

角色錯置是情感缺失者的其中一個教養特色，彷彿孩子才是父母，父母則期待從孩子那兒得到關心和安慰。這些父母會顛倒角色，要求孩子當他們的密友，甚至和孩子談論大人的問題，例如和孩子討論自己的婚姻就是一例。而有的父母會要孩子讚美他們、為他們高興，彷彿孩子對父母有所期待。

曾來找我諮商的蘿拉，憶述自己八歲時，父親和別的女人跑了，丟下她獨自面對沮喪憂鬱的母親。某天，父親開著一輛新的敞篷車，興高采烈的來接蘿拉，期待蘿拉能為新車開心，完全沒考慮到他的快樂新生活與被拋棄母女的心情有多麼懸殊。

還有另一個角色錯置的故事：父親忘記自己虐待過女兒，卻期待女兒扮演父母來稱讚自己……

案例10

與父親角色錯置的芙麗妲

年近不惑的芙麗妲生長在充滿恐懼的家庭，父親馬丁不成熟的性格，表現在肢體暴力上。馬丁在外受人敬重，但在家裡會賞孩子耳光、用皮帶抽打他們到傷痕累累。進入青少年時期的芙麗妲終於起而反抗，於是馬丁不再打她，但她的妹妹仍繼續受苦，母親也常遭受馬丁的言語羞辱。

馬丁很難捉摸，時而生氣沒耐性，時而大方、快樂、展現愛心，每天的生活起伏不定。馬丁比較不像爸爸，而是期望孩子能安撫他、把注意力集中在他身上。這就是角色錯置的典型例子：要求孩子無條件的稱許他，自己卻像孩子般亂發脾氣。馬丁角色錯置的主要對象是芙麗妲，他希望芙麗妲對他展現母愛，讚美、吹捧他。

芙麗妲搬出去後，馬丁擅自決定芙麗妲需要一個陽台鞦韆，而且還是他親手用實木搭建的鞦韆。馬丁問也不問就把鞦韆架在她小小的陽台上，占去了大半空間，害芙麗妲無法在陽台乘涼。偌大的鞦韆無法搬動，像極了馬丁霸占了整個家庭的空間。馬丁則像是把勞作成品獻給媽媽般的小男孩，自豪不已。所幸，芙麗妲明白這是父親情感缺失以及角色錯置的關係，因此她能毫無顧慮的把鞦韆移走，將陽台恢復成自己喜歡的樣子。

缺乏同理心，而且感覺遲鈍

除了逃避分享情感及親密感，情感缺失者的另一項特質就是缺乏同理心。由於無法觸及內心深處的情感，完全看不到對他人造成的影響。

同理心不只讓人在社交上表現得宜、老練圓滑，也是真誠親密感的必要條件，在深入的情感關係中不可或缺。何謂「同理心」，我最喜歡的定義，來自研究兒童依附行為的克勞斯與卡琳・葛羅斯曼（Klaus & Karin Grossman）和安娜・史旺（Anna Schwan），他們認為**同理心就像心思敏感的母親，可以從嬰兒的觀點，了解並感受孩子的狀態及意圖。**這個定義同時涵蓋對情緒與意識的覺察，超越單純的同情，進而正確解讀他人的興趣與意向。

同理心的最高表現需要想像力，也就是「心智化」（mentalization），意指想像他人有各自的意向和思考能力，發展心理學家稱之為「心智理論」（theory of mind），此能力也是兒童發展過程中重要的里程碑。因為理解他人各有和自己不同的意志，心智化能讓人領會他人的觀點及內在經驗。好的父母善於同理、同心，並且主動關心孩子，讓孩子感覺被看見、被了解。不論是在經商、軍中或任何需要理解及預測他人動機的情境裡，同理心也是領導者不可或缺的特質。邁向人際與職場成功，必須有高度的情緒智力，而同理心正是構成情緒智力的基礎要素。

心理學家保羅・艾克曼（Paul Ekman）與達賴喇嘛的對話中，梳理同理心和同情心的區別：**真正的同理心不僅要知悉他人的感覺，也要能感同身受。**例如，反社會者也許擅於解讀他人的情感弱點，但倘若無法對別人感同身受，這種覺察能力就變成掠奪的工具，而非聯絡情感。

這解釋了另一個奇怪現象：有些人雖然無法同理共感，卻擅於讀取他人的意圖與情緒；然而，他們卻不會把對人的理解用在培養親密感情上，他們的同理只在本能或是淺薄的感情層次運作，讓人覺得是在被打量，而不是被同理。

缺乏「感同身受」的同理心表示「自我發展不足」。父母必須先有充足的自我發展、能夠覺知自己的情感，才能想像孩子有什麼感受。若沒有發展出對自身情感的覺知，就不可能對別人、對孩子的內心感同身受。

代代相傳的舊式育兒方式，讓許多人關上了心門

許多個案都反映出他們的父母情感缺失，於是我開始研究是什麼原因造就這麼多情感缺失父母。根據我的觀察和臨床經驗，這些父母可能在孩童時期就關上了心門。

當我帶著個案一同回溯家族史時，他們多半會憶及父母的童年極度不快樂、焦慮。他們或許有濫用酒精藥物、遺棄、喪親、虐待或是創傷性遷徙的經驗，整個家庭瀰漫著茫然、痛苦、疏離的氣氛。許多人告訴我，儘管他們感到被漠視或被傷害，都比不上父母的悲慘童年。個案父母的上一輩，大多無法給予他們親密互動和支持，父母只好發展出防衛機制，方能在早年的孤寂感中存活。儘管父母與上一輩間充滿衝突與不滿，但他們仍然沿用舊有的養育方式。

這些父母受舊式育兒方式教養，孩子被看到但不被傾聽。當時容許體罰，在學校，體罰被用來教孩子負責任。對許多父母來說，「不打不成器」是金科玉律，他們不關心孩子的感受，認為育兒就是教孩子守規矩。歷代育兒觀認為：孩童的發展重在服從，而不考慮支持孩子發展情感安全感和個別性。直到一九四六年，班傑明．史波克博士（Benjamin Spock）在他的暢銷巨作《嬰幼兒保健常識》（*The Common Sense Book of Baby and Child Care*）中，大力鼓吹照顧嬰幼兒不能只著重健康及規矩，更要顧慮孩童的感受與個別性。

從下面的故事可以看出，代代相傳的舊式育兒方式，如何影響個案：

案例11

艾莉與麻木不仁的媽媽

艾莉是大家庭的長女，她記得媽媽楚蒂是個「慷慨大方，但硬得像顆石頭」的人。楚蒂在教會和社區裡都很活躍，大家都稱讚她仁慈又熱心，可是對兒女就麻木不仁。

艾莉常常做噩夢，一定要抱著心愛的布偶才能安心。十一歲的某個晚上，媽媽突然拿走她的布偶，說：「妳已經長大了，不能再抱布偶睡覺，我要把它送走。」艾莉苦苦哀求，媽媽卻說她在無理取鬧。雖然楚蒂讓艾莉身體健康、衣食無缺，但卻無感於艾莉對心愛布偶的精神依賴。

艾莉也很喜歡從小養的那隻貓。某天，放學回到家後，楚蒂突然告訴她，貓把家裡搞得一團亂所以送走了，這讓艾莉傷心欲絕。就如楚蒂後來對艾莉說的：「我才不管你們有什麼感覺，我只供你們吃住。」

案例12

莎菈與壓抑情感的媽媽

莎菈的媽媽總是壓抑情感，非常冷淡，管教也很嚴格。記憶中，媽媽似乎總是克制著感情，彷彿躲在一道牆後面。但莎菈有一段關於媽媽的珍貴回憶：某個早晨，在莎菈醒來前，媽媽就站在床邊深情的望著她。其實莎拉已經醒了，她動也不動，享受這段和媽媽偷偷交心的時刻。等她完全醒來時，那道牆又再度豎起，媽媽又和她保持著「適當」的距離。

孤單的童年經驗，造就了情感缺失者

情感缺失父母也曾是孩子，他們小時候可能也為了得到父母認同而封閉內心深處的感覺。就像艾莉和莎菈的媽媽，她們很可能在成長過程中，感情沒有得到父母的注意。許多情感缺失者在早年被過度箝制，就像發育不良的盆栽，被塑形、長出不自然的形狀。他們必須屈曲自己、遷就家人，所以無法發展出身心統合的自在人格。

很多情感缺失者不被允許充分探索、表達自己的感覺和想法，以至於無法發展出強壯的自我和成熟獨立的個體。他們難以認識自己，局限了親密情感能力。倘若缺乏對自己的認知，就無法學會與他人建立深入情感，導致更深刻的人格缺陷。接下來，讓我們一一討論：

常常前後不一、自相矛盾

由於缺乏對自己的完整認知，情感缺失者往往像一台東拼西湊的機器，各部位無法協調配合。因為恐懼父母的反應，而關閉了自己最重要的情感功能，就像無法契合的拼圖，導致人格形成了孤立的區塊，於是會出現難以理解、前後不一的反應。

或許因為**兒時不被允許表達情感，所以長大後情緒反覆無常、人格結構鬆散脆弱、常常表現出自相矛盾的情緒和行為**。他們的情緒來來去去，卻不曾注意到自己前後不一。為人父母時，這些特性就會讓他們的孩子困惑，就像有位女士描述她母親的行為：混亂、翻來覆去毫無道理可言。

這裡所說的反覆無常就是：情感表現全看心情，時而深情時而冷漠。情感缺失父母的孩子會與他們短暫交心，卻不知道爸媽何時會再次開放情感交流。這種情況造成了行為心理學家口中的「間歇性獎勵增強」（intermittent reward situation），就是儘管付出努力後可以獲得獎勵，卻完全無法預測何時會有。而這樣的付出引發更想要得到獎勵的決心。為了得到那稀罕、難以捉摸的正面回應，父母反覆無常的特性卻將孩子套牢在父母身邊。

反覆無常的教養可能讓孩子有不安全感、容易緊張不安。父母的回應左右著孩子的自我價值，孩子很可能認為爸媽情緒起伏是自己害的。

案例13

很會看臉色的伊麗莎白

伊麗莎白的母親情緒不穩定，她總是猜測著母親的心思。與母親接觸的時候，她都很焦慮，不曉得母親這次會把自己推開，還是願意跟她聊天。伊麗莎白對我說：「我必須隨時看她臉色，要是她看起來不高興，我就保持距離；要是她心情很好，我就可以跟她說話。她主宰我的開心與否，所以我想盡辦法贏得她的讚許。」小時候，伊麗莎白總是擔心：是不是自己害母親心情不好，覺得這是自己的責任，所以總認為自己不夠好。

並不是伊麗莎白不夠好，而是她無法理解媽媽的心情變化，以為是自己惹媽媽不高興，甚至是自己「這個人」害的。

強烈的防衛心取代了真實自我

情感缺失者無法在童年早期學會「做自己」，無法發展出強壯、內在堅實的自我。他們只學到某些特定感覺是不好的、被禁止的，並在無意識間發展出防衛機制，拒絕碰觸內心深處的感受。結果，將發展完整自我的動力轉成壓抑直覺，因此沒有足夠能力建立親密感。

孩子不知道情感缺失父母的發展缺陷，認為爸媽內心住著另一個有感情的人——唯有表面父母允許，才能接觸到的真實父母。因此當父母流露出難得的關愛時，更強化了這種信念。

誠如個案說過：「我只看父母讓我喜歡的地方，假裝這部分才是真的，並告訴自己，好的總有一天會勝出。我也假裝沒有那些傷人的部分，但我現在知道，壞的從沒被趕走，一切都是事實。」

當防衛機制與人格合為一體，就會像傷疤一樣真實，一旦形成就很難磨滅，成了人格中的主要部分。這些人能否變得真摯而有感情，都取決於自省能力。人們總是想知道父母是否能改變。然而，父母能否改變，首先取決於他們是否「願意自省」。不幸的是，若父母不願意正視自己對他人造成的影響，就不願檢視自己，也就不會改變。

案例14

卸下母親心房的漢娜

漢娜一直渴望和堅強、勤奮的媽媽更親密。長大後，某次探望媽媽時，她問媽媽是否有心事沒有說出來。這個問題讓媽媽措手不及，像隻被車燈驚嚇的小鹿，隨後哭了出來、無法言語。漢娜發現，自己的無心探問讓媽媽既害怕又驚訝。她歪打正著的突破了媽媽的心防，直擊她深藏已久的悲傷角落，暴露出孩提時期想被傾聽的渴望。漢娜對媽媽的關心和同理撼動了防護牆，媽媽對漢娜想建立的親密感無法招架。

對情感缺失者來說，深度情感交流具有威脅性

除了情緒反應很大，情感缺失者也有情感、情緒的矛盾。他們的情緒容易受撩撥，卻害怕自己真實的反應。若家庭沒有幫助他們處理情緒，或是常因難過而被處罰，就會變成這樣。對他們而言，深度情感交流的世界是有威脅性的，最好能避免或是忘記自己的感覺。

害怕情感

許多情感缺失者從小就被家訓灌輸：不可以輕易顯露情感。在他們的經驗裡，表達內心情感很丟臉或是會被處罰。這就是心理治療學者李．麥卡洛（Leigh McCullough）學派所稱的「情感恐懼症」（affect phobia）——將私密的情感連結到負面批評，再也無法表達自己的感受，其中更以親密情感為甚。最後，他焦慮的試圖掩藏真實反應，發展出防衛行為而不是感受自己的真實情感與衝動。

情感恐懼症讓他們強力抵抗某些情感，進而發展出僵化、狹隘的人格。成年後，遇到深入的情感交流時，焦慮感就會自動出現。**真誠的情感多半讓他們覺得赤裸而極度緊張，於是終其一生都耗在築防護牆、隔絕與他人之間的脆弱感情**。為了避免危險的親密感，他們會墨守成規、拒絕談論或是處理情感，談戀愛時也一樣！

為人父母後，對脆弱情感的恐懼將會傳給下一代。在孩子哭鬧時，他們普遍用「再哭就讓你哭個夠！」回應。在成長過程中，恐懼情感的父母總會壓制孩子發洩情緒，孩子永遠也無法體會哭泣的過程以及如何停止，進而擔心自己無法停止哭泣。

可以想見，這些孩子會對自己的情緒感到恐懼，就連正向的情感也會讓他們聯想到焦慮。就像安東尼的故事：當父親將車開進住家車道時，他歡欣的衝出前門迎接，在跳過小樹叢時卻踢倒了小樹。父親非但不感動安東尼的示好，反而揍了他一頓。之後，安東尼不只懼怕父親，也害怕自發的愉悅會為自己帶來麻煩。

注重物質而非情感

情感缺失父母在照顧孩子的生理及物質需求上非常盡責，不論食衣住行都能夠充分供應，在能力範圍內都會確保孩子得到最好的。可是在情感方面，就不太能察覺孩子的需求。

許多個案都對生病時受到照顧有美好回憶。他們享受父母的關注，甚至得到禮物、吃到最喜歡的食物，但只限於父母相信他們真的生病了。這些孩子把生病時受到的關注當作愛的證明，在記憶中，似乎只有這個時候才會得到關懷。

照顧孩子的病情讓父母有正當理由用愛與關注來「寵」小孩。讓小孩身體恢復健康所付出的深情照顧，也讓這些父母感到安全，因為比起情感上的依附，他們更認同生理上的幫助。

然而，**只在非情感領域提供身體照顧，會讓孩子困惑，成長為心靈孤寂的人。**孩子把物質供給當成是父母的愛，以及為他們犧牲的證據，但他們依舊感受到缺乏安全感和與父母疏離的痛苦。

情感缺失者通常是掃興鬼

情感缺失者會因為恐懼真摯的情感而成為掃興鬼。成為父母後，因為無法同理孩子的興奮感，不是改變話題，就是警告孩子別抱太高期望。當孩子充滿熱情時，用輕蔑、猜疑來回應或澆他們冷水。有位女士很興奮的告訴媽媽自己買了第一棟房子，媽媽卻說：「是啊！但是開心只會是三分鐘熱度，很快就過了。」

情緒激烈卻膚淺

情感缺失者很容易因深刻的情緒而感動，但卻會過於急躁而不自在，加上無法深入感受，所以反應很浮泛。他們的情緒容易受挑撥，表現出強烈的感受，像是很容易感動淚流，或對不喜歡的事物易怒。他們的反應充滿熱情像是性情中人，但情緒表現常是轉瞬即逝，好比打水漂的石頭，彈跳在水面上，不會沉到水裡，總是隨著當下起舞，戲劇化但缺乏深度。

與他們互動時，很容易就會覺得這種空泛的情感只是一種發洩，難以受到感動。你可能會覺得應該要對他們更有感情，但就是無法與他們誇張的反應有共鳴。因為他們太常反應過度，你很快就學會不受他們影響，保護自己的情緒。

無法體會複雜的情緒

能夠感受複雜情緒的能力是情感健全的表徵，若能融合矛盾的感受，像是快樂又有罪惡感，或是帶著愛的憤怒，就表示這些人能夠擁抱、感受生命中錯綜交織的情感，調和矛盾的感覺。如果發展出同時體會不同情緒的能力，世界就更豐富、更有內涵，因為他們能同時體驗到當下的情感變化，不會只做單獨、劇烈、單一面向的反應。相反的，情感缺失者總做出非黑即白的反應，沒有灰色地帶，當然就無法忍受曖昧、兩難和其他複雜的經驗。

情感缺失者的思考模式通常是狹隘的

情感缺失除了情感和行為上有差異，也會影響智能。若父母生長在充滿焦慮、批判的家庭氛圍裡，就可能會以狹隘的方式思考，並且抗拒複雜的思考模式。童年時期過度焦慮不只會導致情感缺失，也會因思考過度簡化而無法有不同意見。高壓或懲罰式教養通常不鼓勵自由思考或自我表達，無助於心智的完整發展。

概念性思考有困難

青春期開始發展概念性思考，也透過邏輯推理解決問題，而非靠直覺或一時衝動。腦部快速發展意味著更客觀也更有想像力，他們能歸納意見、快速進行象徵性思考，不單只是記誦事物，也能評估不同的想法，而不僅僅是比較不同的事實。他們能夠獨立思考，也懂得假設性思考，並從既有的知識上產生新的見解。當孩童進入青少年時期，開始有自我反思能力，意即對自己的思考進行再思考，因此自省能力突飛猛進。

然而，情感缺失者所經歷的焦慮和強烈情緒，會降低思考能力，無法達到上述這個更高的層次；因為他們常受情緒支配，且高層次思考容易在壓力下瓦解。事實上，他們缺乏自省能力的原因，就是思考退步、暫時失去自我反思能力所致。**當偏向情感的話題出現，他們的心智就會落入非黑即白的思考模式，抗拒複雜及各種不同的意見。**

較理性的情感缺失者，只要當下不覺得受到威脅，還是可以有概念性思考、展現出洞察力，然而只局限在不會擾動情緒的議題。這樣的表現會讓下一代困惑，因為孩子看到的是非常極端的父母——有時聰明且具洞察力，有時又心胸狹窄不可理喻。

傾向表面思考

若曾與情感缺失者談話，就會發現他們的思想多麼浮泛、刻板。他們多半只聊事情的經過，少有自己的感覺或想法。有位男性個案就覺得母親的來電都很枯燥乏味，從沒講到重點，只會問他一些小事，像是現在在做什麼或是天氣如何。他說：「她只是報告事情，講來講去都是『最近又發生什麼事了』，講話都沒什麼深度，讓我很挫折也很想對她說：『難道不能聊些有意義的事嗎？』但她就是沒辦法改變。」

永無止境的鑽研某些議題

情感缺失的另一徵象就是過於理性、對某些議題著迷。在那些論題範圍裡，情感缺失者很能概念化，有時甚至過頭了，但卻無法應用在自省，或是對他人的感覺敏感些。他們埋首思考時就忘卻了親密情感，對喜歡的話題可以長篇大論，但也只是自說自話。因此，他們就像只會照字面思考的人一樣難溝通，儘管有時候，與別人討論時可以進行概念性思考，但也只局限於客觀或知識性範圍。

總結

情感缺失確實存在，也一直有相關的研究與著作。它會損害人們處理壓力、和他人建立情感關係的能力。情感缺失者多半在會妨礙情緒與智力健全發展的家庭環境成長，他們用單一方式面對人生，也窄化事情以符合他們的僵化刻板。這種受限的自我認知讓他們相當自我中心，無法體貼他人的感覺和需求。他們的情緒易受煽動、欠缺客觀性、恐懼深入情感讓他們無法和任何人建立親密關係，尤其是跟自己的孩子。

下一章，我們來了解一下和情感缺失父母相處會是什麼情形；以及成年子女若想要和這類父母溝通時，會面臨什麼樣的挑戰。

Chapter 3

不斷體會到「情感遺棄」的童年

生命本能，讓我們無法推開情感缺失父母

這一章將探討情感缺失父母處理親子關係的方式，會如何扼殺孩子的情感需求。或許你已經發現，在這類型父母的教養之下成長，令人感到孤獨易怒。

我們無權選擇生命中最早建立的關係，而我們依賴最深的，就是餓了、累了、病了或害怕時，第一個會找的爸爸媽媽。狀況好的時候，我們會找別人玩，但遇到壓力或是有緊急需求時，就會驚惶奔向我們的主要照顧者。

因為初期的關係如此重要、強烈而緊密，所以情感缺失父母的表現才會如此令人失望。也許我們很難冷靜面對和父母間的關係，但要保持距離或是與他們分開卻又覺得好像失去重要東西，那是因為本能推促我們，不斷回頭向父母取得關心和了解。

評量 2

童年時期和父母相處的難題

情感缺失在人際關係表現最為明顯，對親子關係影響也很大。下面列出情感缺失父母讓孩子感到痛苦的事情，請勾選出符合兒時經歷的描述：

- □覺得不被傾聽，也很少受到父母的全神關注。
- □父母的情緒會影響整個家庭。
- □父母無法察覺我的感受。
- □即便父母沒有開口，我好像必須知道他們要什麼。
- □就算做得再多，也無法讓父母高興。
- □相較於父母試著了解我，我必須更努力去了解他們。
- □很難或不可能和父母開誠布公溝通。
- □父母認為每個人都應該扮演好自己的角色，不應踰越。
- □父母經常干涉或是不尊重我的隱私。
- □總覺得父母認為我太敏感、太情緒化了。

□父母最關心他們偏愛的孩子。
□當談話內容不是父母喜歡的，他們就不願意傾聽。
□在父母身邊，我經常感到內疚、愚蠢、難過或是羞恥。
□和父母起衝突時，他們很少道歉或試圖改善情況。
□我經常壓抑對父母的憤怒，無處表達。

上述每個情況都與本章要說明的特性有關。也許你的父母不完全符合這些描述，但大多數符合時，則表示情感缺失已達到某種程度。

為何我們難以和父母溝通？

如果你曾經試著和毫無親密技巧的情感缺失父母建立連結，或許你已經對這些互動感到絕望。就算父母在情感缺失人格中偏向溫和、友善的類型，但在他們心裡，關心他人的入口仍然非常狹隘。也許你已嘗試多年，努力找方法和父母交心，卻只落得長期覺得不被看見、不被聽見，只好放棄。也許你早被激怒了無數次，但是不甚敏感的父母保證讓你繼續氣下去。

有人曾經形容自我專注的母親：「她認為我們很親近，但對我來說，母親與我的關係並不讓人滿意。當她跟別人說我是她最好的朋友時，讓我很生氣。」

與情感缺失者溝通時的感覺是單向的，他們對有來有往的交談沒有興趣。他們就像幼兒，渴望得到專屬的關注，想要所有人也對他們喜歡的事物感興趣。如果別人得到的注意力比較多，他們就會設法將注意力拉回自己身上，例如插話、製造出其不意的事引人注目，或是改變話題等。如果這些方法都無效，他們可能會刻意離開、露出無聊的表情、說他不玩了要絕交等，確保焦點停留在他們身上。

案例15

布蘭達與自我中心的母親

布蘭達年邁的母親蜜德莉總是以自我為中心。某次，蜜德莉來找布蘭達一起過聖誕假期，假期過後，布蘭達覺得自己快虛脫了。布蘭達來找我時，顯得疲憊且蒼老許多。在談話中，布蘭達這麼形容她母親：「母親只對自己感興趣，從沒問過我的感受或是工作順不順利，她只想知道我在做什麼，然後拿我向朋友炫耀。她沒有聽進我對她說的任何話，也從沒放在心上。我們之間從來就沒有實質性的關係，因為所有注意力都在她身上。她從沒滿足過我的情感需求，不在乎我是否真的快樂，而且對我說的話都嗤之以鼻。

跟她在一起簡直就像在上班，得應付一位膚淺、只想要我幫她做事情的人，我不懂她怎麼好意思要求這麼多。」

雖然蜜德莉已經八十多歲，但還是像孩子一樣自我中心。布蘭達在理智上知道母親情感缺失，卻還是忍不住生氣。她告訴我：「希望她不要這麼容易惹我生氣。她在身邊我就會生氣，這讓我很沮喪。」蜜德莉來訪期間，布蘭達不斷要母親靜下心來，她才能為過節做好準備。但是每隔幾分鐘，蜜德莉就會叫喚布蘭達，要布蘭達放下手邊的一切幫她拿東西。儘管蜜德莉的行為很煩，但布蘭達反應之激烈，不是一個煩字就能了得。

接下來我們會談到情感依附，那可以解釋布蘭達的憤怒。

缺乏情感交流會激起我們的憤怒

研究兒童對分離與失落反應的先驅約翰．鮑比（John Bowlby）*發現：嬰幼兒、兒童與父母分離時，正常反應是感到生氣。**雖然失落的預期反應是悲傷，但是鮑比的研究證明，憤怒也是分離時普遍會出現的反應。因為被遺棄時，生氣或盛怒讓我們有力氣抗議及改變不利於情感健康的情況。**

因此，布蘭達對母親的憤怒並非小題大作或不明事理。這是因為母親忽視她的情感需求，讓她感到無助而引發的生理反應。畢竟，被拋棄或是被忽視的感覺會造成情感疏離，對布蘭達來說，就像是母親不斷遺棄她。當布蘭達理解母親的自我中心同時也是某種情感遺棄時，她才明白為何自己會如此憤恨，也知道自己並不是反應過度，只是受到情感傷害時的正常反應。了解自己怒氣的來源後，布蘭達終於可以用不同的眼光看自己：她一直是個正常的孩子，承受著被父母遺棄或被父母拒絕回應的所有孩子都會有的怒氣。

有時，情感缺失父母的孩子會壓抑憤怒，或是轉而對自己生氣。他們或許從過去的經驗裡知道，直接表達怒氣很危險、是不可行的，又或是對自己的憤怒感到內疚，所以不願去覺知。當憤怒用這樣的方式內化時，他們會傾向不切實際的自我批評或責怪，可能會罹患嚴重憂鬱症，或者有自殺的念頭——這是對自己憤怒到極致的表現；有些人則會用撒謊、拖延或逃避等方式來表達他們的怒氣，企圖用這類消極的挑釁行為擊敗父母和其他威權人士。

* 編注：關於約翰・鮑比所提出的分離與失落反應研究，請參考《依戀理論三部曲》（小樹文化出版）。

情感缺失者會用情緒傳染的方式來溝通

情感缺失者對感受不敏感，表達情感經驗的字彙也有限，因此常用肢體行動而非言語來表達情感需求。他們所用的溝通手段稱作「情緒傳染」（emotional contagion），也就是讓他人感受到他們的感覺。

情緒傳染也是嬰幼兒表達需求的方式，他們會哭鬧，直到照顧者發現問題並解決。不舒服的嬰幼兒與具同理的成人之間，情緒傳染是為了激起或是促動照顧者，用各式各樣的行動來安撫嬰幼兒。

情感缺失者也用這種原始方式來溝通，例如父母感到苦惱時，會讓孩子和周遭的人也感到心煩意亂，而其他人通常會願意做任何事來安撫他們。在這樣的角色互換中，孩子被父母的憂愁傳染，認為自己有責任減輕父母的憂慮；然而，若父母不試著了解自己的情緒，那麼問題非但沒有解決，反而將不愉快的情緒傳給他人，所有人為此奔波，卻不知道問題的真正原因。

情感缺失者不願承擔自己該付的情感工作

情感缺失父母不願理解他人的情感經驗——包括自己的孩子。被指責對他人需求或感受不敏感時，他們會自我防衛，說出：「你早該這麼說！」等類似的話，利用自己又不會讀心術，或說情感受創的人太敏感、太情緒化等加以辯解、推卸責任。無論他們如何回應，傳達出的訊息都是：別指望他們願意努力、了解他人內心發生的事情。

精神病學家哈麗特．法拉（Harriet Fraad）在《艱辛的情感耕耘》（*Toiling in the Field of Emotion*）中，使用「情緒勞動」（emotional labor）將「努力理解別人」解釋為：「**情緒勞動需要耗費時間、努力和精力，運用智慧與體力來理解並實現人類感到被需要、被欣賞、被愛和被關心的情感需求，這些情感需求往往是沒說出口、不被知道或未被察覺的。**情緒勞動通常結合身體勞動（如商品製造或服務業），但是情緒勞動是產生被需要、被欣賞、被愛、和被關心等特定感覺，與身體勞動不同。」

她解釋，由於情感需求往往是模糊或位於潛意識層次的，人們無法完全意識到自己需要安慰，或是羞於承認而隱藏了情感需要。因此，幫助者就必須巧妙或間接提供安慰，以保全當事人的面子。

情緒勞動是很辛苦的工作，必須不斷判讀對方的情感需求，才能知道努力是否有效。許多角色和職業非常倚重情緒勞動，若執行得很好，對方幾乎不會注意到，許多服務業就是這種不被注意到的付出，而善盡母職更是其中之最。

無論在職場或是家裡，情緒勞動都能引發善意和促進良好的人際關係。在群體中，情感健全者會主動擔下情感工作，因為他們就是用同理心與自我意識過日子，無法冷眼旁觀自己關心的人受困。善用情感工作使他們成功疏通人際關係、不會得罪他人。

另一方面，情感缺失者卻常以缺乏此能力自豪。他們會說：「我只是表達自己的想法。」或：「我沒辦法改變自己。」等，合理化衝動、不在乎的反應。若告訴他們：「將自己的想法全盤說出不見得是好的。」或是：「不願改變就無法成長。」他們可能會生氣，或是認為可笑而置之不理。

情感缺失者認為：若別人沒有將痛苦和困難說出來，就不干他們的事，也不需要和別人感同身受；然而情感健全者則是很在乎別人，知道這只是擁有良好人際關係的一部分。情感工作對有同理心的人來說並不困難，但對於不具同理心的人、看不透別人心思的人而言，情感工作讓人不自在。或許，這就是期待情感缺失者做情感工作時，他們會怨聲載道的其中一項原因吧。

情感缺失者渴望但無法接受他人關心

情感缺失者渴望但無法接受別人關心，這被心理治療師李．麥卡洛稱為「接納能力不足」。**情感缺失者希望別人關心他，但是多半不接納建議、本能拒絕別人的關心。他們引導別人前來，但是當人們試著幫忙時，卻又將人推開。**

此外，情感缺失者希望別人有讀心術，若不能立刻猜到他們的心思，就會發脾氣。他們不喜歡說出需求，反而隱瞞感受，看是否有人注意到。在成年人中，最經典的情感缺失表現就是「如果你真的愛我，就該知道我希望你做什麼」。

某位女士曾述說，母親總愛坐在屋裡，當有人從廚房出來，就生氣的埋怨、怪對方怎麼沒有想到要問她是否需要一杯水。他們不說出自己的需求，還造就惡意的猜心遊戲，讓人心裡不舒服。

情感缺失者抗拒修復關係

人與人相處一定會遇到問題，重要的是知道如何處理衝突、通過考驗。成熟、自信才能承認錯誤並努力讓事情好轉，但情感缺失者卻拒絕面對他們所犯的錯誤。

若一再被情感缺失者傷害，大多數人會思考是否自己做錯了什麼。而情感缺失者則期望你立刻幫他們脫身，甚至責備你當下不原諒他們。

關係破裂後，許多人會走向美國心理學家約翰・高特曼（John Gottman）所稱的「嘗試修復」，也就是：道歉、請求原諒、彌補，流露出想要和好的意願。但是「原諒」對情感缺失者來說，卻有著全然違背事理的概念——他們認為，原諒就是要像一切從未發生過、回到全新的狀態。他們無法理解別人需要消化情緒，或是在重大背叛後需要時間重新建立信任感。對他們來說，對方的痛苦是盡速恢復正常的唯一阻撓，只要趕快忘卻自己的感受，一切就都沒事了。

情感缺失者期待孩子「鏡映」並理解他們

「鏡映」（Mirroring）代表「父母自然會對孩子產生同理與連結」。敏銳且會感情互動的父母，會露出與孩子情緒相應的表情、鏡映孩子的感覺。孩子悲傷時，會面露擔憂；孩子開心時，會滿面歡欣。敏銳的父母以此讓孩子學會情感以及真誠交往，良性鏡映也能讓孩子感到自己被了解、是獨一無二的，但對情感缺失父母的孩子來說，情況則相反。有人曾描述他的母親：「儘管我是她的孩子，但她永遠不懂我。」

事實上，情感缺失父母期望孩子理解他們，並鏡映出來。如果孩子沒有按照他們的想法行事，他們就會暴跳如雷，因為脆弱的自尊心建立在「所有事情都必須按照他們的想法進行」上。可是孩子並沒有足夠能力準確鏡映大人的情感。

情感缺失父母經常幻想孩子可以讓自己有成就感，但是當孩子有需求時，就會引發父母強烈的焦慮感。情感缺失父母可能以處罰、威脅拋棄孩子，或羞辱等手段做為掌握大權的王牌，不惜犧牲孩子來保全自己的自尊。

案例16

辛西亞與不願孩子獨立的母親

辛西亞的母親史黛拉情緒反覆無常，卻希望辛西亞能像情緒複製人，鏡映出她的每個心情。當辛西亞如同一般青少年決定去旅行時，史黛拉暴怒，大叫說：「我要跟妳斷絕關係！」並且好幾個月都沒有和辛西亞聯繫，甚至連辛西亞的生日都沒有跟她說話。辛西亞把母親的行為解讀為：「妳想獨立、想離開，我就不再和妳有任何瓜葛。」

另一次，辛西亞計畫去加拿大拜訪朋友，史黛拉為此大為光火，停止資助辛西亞念大學。她告訴辛西亞這是很自私的行為，她說：「妳是怎麼回事？人生不是只有玩樂而已！」只有在辛西亞鏡映出與她相同狹隘的生活時，史黛拉才有安全感。

所幸，辛西亞不服輸。她自力更生念完大學並且成為空服員，到世界各地旅行。但在她內心深處，始終相信若想維繫人際關係，就必須安撫並照對方的想法去做。她告訴我：她害怕別人會像母親一樣，因為和他們不同而處罰她。

情感缺失者將自尊建立在他人的服從上

當別人給予他們想要的、照他們的意思行事時，情感缺失者才會認同自己。這種不穩固的自我價值，讓情感缺失父母難以容忍孩子的情緒。孩子發脾氣或哭鬧，他們就會開始焦慮、懷疑自我能力。若無法立刻讓孩子平靜下來，就會覺得自己很失敗，轉而責備孩子帶來不安。

例如，傑夫憶起小時候曾請父親指導功課，若傑夫無法立刻明白課程內容，父親就會大叫：「你怎麼這麼笨？別再偷懶了！是你不夠努力！」可預見的，傑夫覺得很羞愧，再也不請父親指導功課了。他當時還小，無法理解父親擔心的其實是自己無法幫助孩子，並且跟成為失職父親的恐懼感交戰，跟傑夫一點關係也沒有。

對情感缺失者來說，所有互動只能簡化成他們是好人還是壞人。若想跟情感缺失者討論他們做過的事，就會立刻自我防禦。就算只是小小抱怨，也經常獲得偏激的回應，例如：「好吧，我就是全世界最爛的母親！」或是：「反正我什麼事都做不好！」他們寧願不再往來，也不想聽到任何會讓他們覺得自己是壞人的事情。

情感缺失者眼中神聖的「角色順從」機制

「角色順從」（role compliance）或許是情感缺失者最喜歡的相處關係，因為角色能簡化生活，也容易做決定。情感缺失父母只要孩子扮演好尊敬、服從父母的角色；他們通常也會用一些陳腔濫調來維繫父母角色，這樣就能夠簡化複雜的情況，且比較容易面對。

角色權利：依照社會定位，要求特定的待遇

「角色權利」（role entitlement）代表「依照社會定位，要求特定的待遇」。當父母必須使用家長權利簡化事情時，就是角色權利，彷彿父母就可以擺脫尊重的界線或是不需要體貼孩子。

瑪爾蒂的父母就是角色權利的典型例子：瑪爾蒂的丈夫調職，所以全家搬到另一個城市。過沒多久，瑪爾蒂的父母也搬到附近，卻時常不事先知會就上門，也不敲門就走進她家。當瑪爾蒂建議可否事先打個電話時，她的父母相當惱怒，並且表示身為父母的

他們有權隨時進到她家。

還有另一個例子：費思不得不禁止從事不動產經紀人的母親來訪，因為母親堅持更換費思家裡的家具和擺飾。甚至在費思明言阻止後，母親還抗議，表示基於費思的母親與地產經紀人這兩個重要角色，她有權這麼做。

角色強迫：堅持別人必須依自己的想法，以某種角色生活

「角色強迫」（role coercion）指「堅持別人必須依自己的想法，以某種角色生活」。例如情感缺失父母會不跟孩子說話、威脅不理他們，或是聯合其他家人迫使孩子以特定方式行事。**這些父母在行使角色強迫時，常會用引發強烈羞愧感和罪惡感的方式**。例如，孩子想要的東西是父母厭惡的事物時，他便是壞孩子。

我的個案吉莉安就有過一次可怕的角色強迫經驗。吉莉安生長在信仰虔誠的家庭，她的丈夫是個暴戾的人，毆打她無數次。當她終於鼓起勇氣離開丈夫，母親卻堅持要她回到丈夫身邊。吉莉安迫切想得到母親的支持，於是告訴母親她受到丈夫虐待；然而在母親看來，吉莉安受到虐待並不重要，因為在他們的信仰裡，離婚更是罪大惡極。

要孩子恪遵角色到這種程度，等於是徹底否定孩子生命中最根本以及個人的選擇。然而情感缺失父母完全不會對此感到不安，因為他們無法忍受複雜，喜歡把生活簡化，

如果沒有扮演好預設的角色，就表示這個人有問題、必須改變。

情感缺失者要的是情感糾葛，而不是親密感

親密感與情感糾葛看起來相似，但互動方式截然不同。親密感代表兩個個體可以充分溝通、深入認識彼此，藉由彼此接納建立信任，並在相互了解的過程中，發現並珍惜彼此的差異性。親密感令人活力充沛，且在享受彼此的關心與支持時，得到成長的能量。

然而相反的，**情感糾葛則是指兩個情感缺失者透過緊張、依賴的關係，來尋求自己的定位和自我實現**。在這種糾結交纏的情感中，他們會扮演令對方安心的角色來穩固親暱感，創造出確定、可預測與安全的感覺。若有人想要跨越關係中的隱藏界線，另一人往往會感到焦慮，唯有回到預設的角色裡，才能減輕。

「偏心」的情感糾葛

情感糾葛有時會以「偏心」的方式呈現。父母只偏愛身邊的兄弟姊妹，讓人很難受，你會想知道為何父母從未對你有相同的關注。偏愛並非親密感，而是情感糾葛的徵

象。情感健全發展程度低落，會使人們相互糾纏，尤其是父母跟孩子，而受到偏愛的手足可能和父母有類似的心理。

記得，情感缺失父母以角色基礎進行連結，而非個人。若你獨立、自立，父母感受不到你的依賴、需要被拯救，就會認定你是個小大人、沒有需求。**不是你不夠好，父母才更關心你的手足；反而因為你不夠依賴，無法觸發父母情感糾葛的本能。**

然而，因為自足而無法引起父母情感糾葛的孩子就常落單、過起更獨立自主的生活，因此自我發展程度也超越父母。長遠來看，無法獲得情感缺失父母的關心，孩子反而有利於情感發展；但同時，因為父母把精力都放在其他手足身上，情感健全的孩子仍感受到被冷落的痛苦。

情感糾葛分為「依賴」或「理想」兩種類型，依賴型的情感糾葛，孩子因為無法適應社會，父母則扮演拯救者或是犧牲者；理想型的情感糾葛，父母寵溺著他們最喜歡的孩子，彷彿這個孩子比其他孩子重要、更應得父母的愛。然而，被父母溺愛的孩子反而套進牢不可破的角色裡，無法體會到真正的親密感。

案例17 覺得媽媽只愛姊姊的海瑟

海瑟從未獲得母親的關心與重視，母親最愛的孩子顯然是姊姊瑪洛。聽著母親與高采烈述說與瑪洛見面時相談甚歡，讓海瑟很受傷。

「妳們都聊些什麼？」海瑟問。

「哦，只是問她最近在忙什麼，還有她接下來想做些什麼。」

海瑟的心被刺穿，她渴望能與母親有這樣的對話，但是這個願望從沒實現過。

案例18

獨立的馬克與偏愛弟弟的父親

馬克的父親唐，很明顯的偏愛弟弟布雷特，除了在財務上幫助他還暱稱他為「我的寶貝」。父親過世後的喪禮上，叔叔想起了唐是如何冷酷無情的對待馬克，總是動不動就嚴厲處罰他。「你才是最棒的，」叔叔告訴他，「我不懂為何他要這樣苛刻的對你。」

馬克是個獨立、聰明而且從沒依賴過父親的孩子，但他跟父親磁場不合，所以唐轉而去找情感發展較不健全的布雷特。

情感糾葛的對象不一定是家庭成員

在需要情感糾葛的時候，情感缺失父母會採取實際行動，哪怕對象並不是親近的家庭成員。要是情感出現空缺，他們就會找家人以外的人選來填補，也可能加入團體，像是教會或其他組織。

案例19

被父母忽視的比爾

比爾長大離家後，父母開始收留教會轉介的遊民。每次聚會，父母就會分享救濟的故事、花許多時間聊他們所照顧的人，卻絕少提及比爾的事。

片段的時間感，讓情感缺失者無法一致的處理關係

我們容易忽略這個微小的點，那就是：情感缺失者的時間感經常是片段的，特別是情緒激動時。我們以為所有人對時間的感受都是線性、連續的，從遙遠的過去延伸到可預見的未來，但情感缺失者卻非如此。當他們情緒激動時，當下便是永恆：因為問題無法預測，所以常常為此煩惱。他們受當下欲望支配、時間感頻頻被切斷。衝動行事時，他們不以過去經驗為原則，也不預測結果。這也解釋了為何他們草率且不一致的處理關係。

為什麼會因時間概念不佳，而看似情感操弄

情感缺失者看似是操弄情感的人，但實際上只是投機取巧，追求當下最美好的感

受。他們缺乏一致性的思考模式，常說些當下可以占上風的話。在工作或是其他事務上或許能有策略的思考，一旦進入情感領域，就變得短視近利。「說謊」就是絕佳例子，雖然在當下獲得勝利，但終究會破壞關係。

缺乏連續的時間觀念，造成前後不一致

有壓力或情緒激動時，情感缺失者感覺不到時間的流動，他們只理解非線性、單獨的片刻，就像隨機點亮又熄滅的小光點，在互動間缺乏時間聯繫。他們的舉止前後不一，只隨著意識在經驗間跳躍，這就是為何當你提醒他們過去的行為時，情感缺失者常會生氣。對他們而言，過去跟現在毫無關係；同樣，若你表示要避免某些事情時，他們可能不會理你，因為未來還沒到來。

另一方面，情感發展較健全者的時間是成串、自我覺知的時刻。如果他們後悔做過某件事，羞愧或內疚的情緒隨時會掛在心上。若某件事在未來有風險，他們會知道自己跟未來的事有關，進而有不同的選擇。生命中每個時刻的感覺是相互連結、彼此影響，也影響著和他人的關係。

不健全的時間觀，限制了自省能力與責任感

「自省」是隨時間分析想法、感受和行為的能力。專注在此時片刻的人，因缺乏時間觀點而無法自省，隨著每個新片刻來臨，他們會將過去拋諸腦後，不為自己的行為負責。若有人因為過去的行為受到傷害，他們大多會斥責這個人不應該活在過去，也無法理解為何他人不能就此原諒、遺忘，然後繼續生活下去。由於對時間連續性的感知有限，所以不懂從背叛中復原是需要時間的。

我想你能明白責任感對他們來說有多難了！對行為和所造成結果之間的連結無感的人來說，責任感只是個單薄的概念。他們天生就是：做承諾卻不履行、敷衍道歉，並在別人不斷提起時生氣。你或許會奇怪：為何他們能發展出這樣不可靠的時間觀，對自己的反覆無常視而不見，也無法看到自己的行為？這都跟缺乏自我發展、不良人格統合，還有極度具體而只照字面思考傾向有關。因為沒有持續而連續的自我作為人格的組織核心，情緒和壓力會讓他們回到孩子般的心智狀態，在那裡，時間是漂移且分離的。

總結

情感缺失者欠缺對過往的覺知，不願對過去或是未來負責。由於缺乏對自我的堅實意識，他們認為親密家庭代表情感糾葛、是為了要鏡映彼此。我們幾乎無法和他們進行實質的溝通，因為他們欠缺同理心且固守角色。他們漠視人際關係的修復和互惠性，逃避體貼他人的情感工作，只關心別人是否讓他們得意或丟臉。在他們心中，防禦自身焦慮勝過和他人甚至孩子真心往來。

下一章，我們將談一些早年母子依附行為的研究，看看這些缺失的特性是如何出現的，進而探討我如何歸納出四大類情感缺失父母。

Chapter 4

恐懼親密感的四大類型「情感缺失父母」

讓孩子心理孤寂、沒有安全感的情感缺失父母

情感缺失父母的型態不同，但都會造成孩子心理孤寂、沒有安全感。基本上，他們提供愛的方式只有一種，但是扼殺孩子表達愛的需求卻有百百種。依其風格可以將這些父母分成四種，雖然他們呈現情感遲鈍與無感的方式不同，但都會讓孩子沒有安全感。

先不談各自迥異的教養風格，**本質上這四種類型都屬於情感缺失，都有專注在自我、感情陰晴不定，並且自我中心、不體貼、無法建立真誠親密感的特質**。他們會採用僵硬制式的應對，來扭曲現實而不是處理問題。他們會利用孩子讓自我感覺良好，常導致親子角色錯置，並且讓不知所措的孩子過早接觸到大人的問題。

此外，這四類父母都無法同理別人的感受，而且界線設置問題嚴重，不是涉入太

深，就是完全拒絕。大部分情感缺失父母無法忍受挫折，並且會用情緒策略或是威脅達到目的，而不用言語表達。他們不願視孩子為獨立個體，迫使孩子完全以自己的需求與之連結。孩子的需求和興趣比不過父母所想要的，孩子因而「自我感覺低落」（de-selfed）。在正式探討有哪四種類型情感缺失父母之前，先來看一看過去的研究，了解不同類型的育兒方式如何影響嬰兒的依附行為。

育兒方式如何影響嬰兒的依附行為

心理學家瑪莉・安斯沃思（Mary Ainsworth）、席薇雅・貝爾（Silvia Bell）和朵內妲・史戴頓（Donelda Stayton）做了一項多年且知名的嬰兒依附行為研究，部分針對母親與寶寶的安全依附及非安全依附進行觀察，其後數十年內也不斷被證實。根據一九七四年發表的摘要，研究人員從四個面向評估了母親對寶寶的行為：敏感或無感、接受或拒絕、合作或干預、理解或忽視。研究發現，母親的敏感度是關鍵因素，只要敏感度高，接受度、合作度和理解度也高。無一例外，若後三項感覺呈現低落狀態的母親，其敏感度也較低。**安斯沃思等人指出，母親愈敏感，寶寶就愈會呈現安全的依附行為。**

研究人員如此描述那些敏感度高且寶寶有安全依附行為的母親：「總結來說，敏感度高的母親通常能理解寶寶，她們懂得寶寶的信號、願望和情緒等細微溝通方式；此外，這些母親準確的感知並解讀寶寶所傳送的訊息，且表現出同理心。由於敏感的母親具理解能力和同理心，能掌握良好的互動時機、解決寶寶的問題，所以母子互動不論是方式或是品質上，都是敏捷準確、恰如其分。」

另一方面，寶寶顯示出不安全依附行為的母親就大不相同。回想一下本書第二、三章的內容，再看看下方安斯沃思與其研究夥伴對「母親敏感度低」的描述，是否讓你想到我所謂的情感缺失父母。

安斯沃思的研究表示：「相反的，母親敏感度低則容易忽略寶寶，或是無法感知細微而難以偵測的溝通訊息，也不太能察覺寶寶的行為。此外，敏感度低的母親就算感知到寶寶的行為，也無法理解，或是會曲解這些行為，例如有母親能相當準確感知寶寶的行為跟情緒，卻無法同理。由於缺乏理解或同理能力，寶寶發出溝通訊號後，敏感度低的母親無論在理解、處理的時程或即時性，都無法掌握回應的時機。更甚者，在數量或方式上常會做出不恰當的回應，互動方式片段、不連貫，而且三心二意。」

這些研究證實，在母子關係中，母親的敏感度和同理心密切影響寶寶的依附行為。

四大情感缺失父母：情緒化、神經質、消極型、冷漠型

現在來看讓孩子展現不安全感的父母，依照程度分成哪四種類型。儘管每一型危害孩子安全感的方式各異，但這四型父母都無法同理孩子、無法持續給予心理支持，本質上都不夠敏感。提醒你，這四型都有連續性，程度從輕微到嚴重，某些嚴重的案例，父母可能有精神疾病，或是會施虐。

類型	特徵
情緒化父母	受情緒、感覺驅策，在過分涉入和突然抽身間搖擺不定，他們不穩定和無法預料的狀況令人害怕。在焦慮時會手足無措，得靠他人幫忙穩定情緒。遇到一點不開心就像是世界末日，對他們來說，別人不是救命恩人，就是背棄者。
神經質父母	強迫性目標導向、非常忙碌、無法克制想要把事情做到完美，同時嚴以待人。雖然很少花時間同理孩子，但全盤掌控並介入孩子的生活規畫。

消極型父母	有著放任的心態，排斥處理引發不愉快的事情。他們看似較其他類型父母不具傷害性，但也會造成負面影響。他們總扮白臉，躲在強勢的另一半背後，會為了息事寧人睜一隻眼閉一隻眼，默許或忽視虐待發生。
冷漠型父母	他們的表現讓人懷疑為何當初會想要組家庭。不論輕微或嚴重，都不喜歡情感交流，也不喜歡孩子打擾；無法容忍他人需求，會對此頤指氣使、大發雷霆，或是孤立自己、完全不參與家庭生活。較輕微者會參與固定的家庭活動，但還是沒什麼互動，只想不受打擾做自己的事。

在進一步探討之前，請記得在特定壓力下，多數父母會傾向其中一種類型，但有些則會混合幾種類型。這四種類型各有未達標準的地方，但共通點都是無法持續讓孩子對親子關係有安全感。以下會大致介紹這四類型父母在育兒方面的情況，後面章節將會討論如何面對這些情感缺失父母。

情緒化父母：善變且容易情緒失控

這四型中，情緒化父母最幼稚，他們有種需要被小心呵護的印象，一點點小事就能夠激怒他們，因此安撫他們讓全家人仰馬翻。當情緒化父母情緒崩潰時，會拖著孩子一起陷入情緒裡，跟著體驗父母的絕望、憤怒或怨恨等濃烈情緒，讓家人覺得時時刻刻如履薄冰，他們唯一不變的，就是善變的情緒。

這類型父母中，最極端的就是精神疾病患者。他們可能有精神錯亂、躁鬱，自戀或是邊緣型人格障礙，不受控制的情緒有時候會導致自殺，或是對別人人身攻擊。由於他們的情緒暴起暴落，容易讓身旁的人感到緊張，也因為看到熟悉的人變了個樣而感到害怕。而自殺威脅對孩子有極具毀滅性的心理負擔，孩子想要保住父母的性命卻又不知該怎麼辦。至於程度輕微者，最大的問題是情緒起伏不定，他們或許有做作型人格違常或是循環型情緒障礙症，且情緒的高低潮交替出現。

無論程度輕重，這類型父母都有抗壓性低、情緒控制困難、容易失控的問題。若是加上藥物濫用，情緒更難平穩、無法容忍挫折或煩惱。不論自制能力如何，他們都受情緒支配，對世界抱持非黑即白的看法，斤斤計較、愛記仇、操弄情緒以控制其他人。他們起伏不定的情緒與反應讓人無法信任，進而感到害怕。他們或許會表現得無助、把自己視為受害者，但其實家中的一切都得繞著他們的情緒打轉。在外，他們只要能扮演設定好的角色，通常能控制得很好，但回到親密家人身邊就原形畢露，不受控時非常嚇人，尤其是喝醉酒的時候。

這類型父母的孩子大多學會屈就他人的意願，總覺得父母隨時會捲起情緒風暴，所以過度關注他人感受和情緒到了傷害自己的程度。

案例20

布莉塔妮與只在乎自己感受的媽媽

儘管布莉塔妮已年逾不惑也離家獨立，母親珊達仍想用情緒控制她。有一次，布莉塔妮臥病在床好幾天，珊達焦慮到一天打五通電話給她。當她認為女兒可以下床，就執意拜訪，連布莉塔妮請她別打擾也不管，於是布莉塔妮只好反鎖自家的大門。事後，珊達告訴布莉塔妮：「被妳鎖在外面時，我氣到想要把門拆掉。」當布莉塔妮告訴她這是非法入侵時，又讓珊達很受傷，她忙著推說：「我只是想知道妳是不是好多了。」但事實上，她只在乎自己的感受，完全不顧布莉塔妮的需求。

神經質父母：過度涉入孩子的生活

神經質父母是四類型中看起來最正常，也看似特別投注於孩子的生活。由於容易緊張，他們總是專注於完成事情。相較於更為幼稚的情緒化父母，神經質父母望子成龍的表現，反而不容易看出他們的私心。大多時候，我們不容易發現這類父母的缺失，但他們的孩子在進取心與自我控制上經常出問題。這樣投入又勤勉的父母，卻反而教出缺乏動機、鬱鬱寡歡的孩子。

深究後，我們多少能看出這種傑出、負責的人背後不健全的一面。像是對別人驟下斷語、期待別人追求他們想要且看重的事物。因為過度自我專注，他們認為自己知道什麼才是對別人「好」的。

他們無意識的拒絕自我懷疑、裝作每件事都處理得很好、他們總是知道答案。**這類型父母涉入孩子生活的程度很高，無法接受孩子有特殊興趣或人生方向，只對自己想看的給予讚美，敦促孩子往他們選定的方向前進。**此外，他們總是擔心做得不夠，所以像馬達般轉個不停，以達成目標為優先，孩子或他人的感受則被拋諸腦後。

神經質父母通常生長在情感被剝奪的環境，學會靠自己、不期待他人的幫助，且向來自力更生，對自己的獨立很自豪。他們擔心孩子的不成功會讓他們丟臉，但也無法包容孩子，讓他們有足夠安全感去向外發展。

無論有意或無意，神經質父母讓孩子覺得隨時都在被打分數。比如父親叫孩子練鋼琴，隨時指出彈錯的地方。這種過度監視會讓孩子怯於向大人尋求幫助或分享，導致無法在人生道路上，與可能成為心靈導師的人建立連結。

他們知道如何把事情做好，但有時候卻會做出奇怪的事。一位母親認為女兒不會處理，堅持幫她付帳單。另一位母親擅自幫成年的兒子買了二手車，結果兒子不想要，讓她感到很受傷。還有一位父親要二十多歲的兒子每天在他面前量體重，確認兒子是否胖了。

從本章一開始介紹過的嬰兒依附行為研究，可以看到**神經質父母就像那些不敏感的母親——跟不上孩子身心狀態的轉換步調、無法配合孩子的需求，還反過來指望孩子「應該」做他們覺得該做的事。**因此孩子覺得應該要做符合父母要求的事，而不該做自己想做的事。

案例21

努力讓爸媽高興的約翰

約翰已經二十一歲了，仍然花很多時間陪著爸媽，感覺並不擁有自己的生命。他形容和母親相處時的感覺，說：「她隨時都在用雷達偵測著我。」約翰背負著爸媽對他的期望，感到很沉重，也對自己想要的未來失去了信心。

如同約翰所說：「我一直擔心他們覺得我應該要怎麼樣，我連自己想要什麼都不知道了。我只能努力讓爸媽高興，好讓他們不要來煩我。」這種情形在全家度假時特別明顯，因為約翰要是玩得不夠開心，爸爸就會很生他的氣。

約翰的父母過度涉入他的生活，讓他不敢設定任何目標，否則就會讓爸媽更嚴厲的規定他下一步該怎麼做，父母不斷催促他多加一點油、多使一份勁，扼殺了他的自主性。雖然他們是為了約翰好，但卻不懂得尊重和培養約翰的自主能力。

案例22

被父親控制的克莉絲汀

克莉絲汀是名律師，爸爸喬瑟夫非常專權跋扈，總是逼她要成功。克莉絲汀來找我治療時曾形容自己的童年：「完全受爸爸控制，他無法忍受也不允許我有不同的想法。我很怕做錯決定，很多決定都是出於恐懼。我就像他的所有物，連上大學了都得十一點前回家，很丟臉，但我連作夢都不敢反抗他。」

缺乏同理心讓喬瑟夫成為一名糟糕的指導者，他不了解孩子的恐懼，所以教克莉絲汀游泳時，就直接把她丟進游泳池裡。克莉絲汀說：「他要求我好好表現，卻不教也不幫我，好像我一出生就什麼都會。」表面上，克莉絲汀確實成功了，但內心卻有強烈的不安全感，像是行屍走肉，完全不知道自己在做什麼。

消極型父母：面對高漲的情感，只會消極躲避

消極型父母不像其他三種，有暴怒或是強迫的行為，但也會造成負面影響。他們消極的默許、屈從於支配型的人，並與同樣情感缺失但個性強烈的人站在同一陣線，並且互相吸引。

比起其他類型，**消極型父母注重心理層面，但也只限於某個程度。當氣氛高漲時，他們就會變得消極、切斷情感連結，像鴕鳥般把頭埋進沙子裡。**他們不會給孩子確切的界線或指示來幫助孩子找到方向，他們也許愛你，但無法幫你。

消極型父母就跟其他類型一樣情感缺失、專注自我，但比較好相處，也常有嬉鬧的一面。比起情緒化、神經質和冷漠型，他們比較討喜，只要不與他們的需求衝突，通常是小孩最喜歡的父母，也可以部分同理孩子。可是消極型父母跟其他類型一樣自我中心，也會利用孩子得到別人的重視和關愛，以滿足自己的情感需求。他們享受孩子的天真率直，也能像孩子般開心嬉鬧。孩子喜歡跟這類型父母相處，但由於孩子能填補他們受愛慕、體貼相伴的需求，感情就可能變質而有失倫常。孩子與父母的關係並非完全自在，可能會被父母的另一半嫉妒，甚或被挑起性慾。

孩子很聰明，明白不能期待消極型父母的幫助。消極型父母雖然很喜歡孩子、會跟

孩子玩、讓孩子覺得自己很特別，但孩子感覺得到，他們並沒有實質上的支持。事實上，當家庭對孩子造成傷害時，消極型父母會睜一隻眼閉一隻眼，讓孩子獨自去面對。若是遇到會羞辱或對孩子施虐的伴侶，消極型母親可能會因為經濟無法獨立而選擇留下來，麻痺自己、忽略身邊發生的事。例如有位母親談及丈夫對孩子施暴的時候，輕描淡寫的說：「爸爸有時候下手是重了些。」

消極型父母在成長過程中明白要遠離火線、保持低調、屈從較強勢的人。長大後也不知道除了跟孩子玩，還有個重要任務就是保護他們。壞事發生時，消極型父母會恍惚出神，將自己抽離或是消極逃避，等待暴風過去。

除了在緊要時刻會毫不猶豫棄孩子於不顧，只要一有機會，消極型父母就會拋家棄子，享受更愉快的生活。他們不明白孩子的心理健康跟自己的利益一樣重要，若孩子跟離家的消極型父母有較強的情感連結，不論離家的原因為何，對孩子的傷害尤其深刻。**他們是孩子最重要的人，如今卻背棄而去。孩子長大後，則會為他人的拋棄行為找藉口——因為他們相信小時候的事無法挽救、父母離家是無能為力。**若有人對孩子說：自己心中的完美父母有責任挺身而出、保護孩子時，這些孩子會非常吃驚。

案例23

不期待爸爸保護的莫莉

莫莉的媽媽暴躁易怒，會動手打人，由於每天長時間工作，常會帶著負面情緒回家。莫莉的爸爸則溫柔貼心，總是心情很好，閒暇之餘就喜歡躲在車庫裡東摸西弄，所以莫莉大多由愛損人的姊姊照顧，沒人管她。

唯一讓莫莉感到安心的，是她和爸爸的關係。慈祥和藹的爸爸是她唯一的光明和愛。她崇拜爸爸，也覺得爸爸很在乎她，但卻從未指望爸爸保護她。有一次，媽媽突然一陣暴怒，毒打莫莉一頓。莫莉不期待爸爸插手，但聽見爸爸在廚房裡摔盤子的聲音，她解讀成：爸爸想讓她知道，自己依舊陪在她身邊。情感被剝奪的孩子就會像這樣，無論心愛的父母做了什麼，都會幫他們編織漂亮藉口。

莫莉有些輕微的口吃，有一次去遊樂園玩的時候，姊姊和朋友們取笑她口吃的事太過火了，惹得莫莉抓狂，但是爸爸只是一笑置之，也沒有告誡那些大孩子或是關心莫莉的心情。回程路上，每個人都在輪流模仿莫莉說話不順暢的樣子，大聲笑鬧著。

冷漠型父母：彷彿身邊豎立著高牆、難以靠近

冷漠型父母身邊似乎有高牆圍繞，他們不願意花時間陪伴孩子，好像比較喜歡沒人打擾的時刻，讓孩子會有種「沒有我，爸媽也無所謂」的感覺。冷漠型父母被惹惱的樣子，也讓孩子學會不要靠近他們。有人曾形容：就像是跑向某人，他卻用力把門甩在自臉上的感覺。他們拒絕跟任何人有情感或心靈上的互動，若是逼他們回應，就會生氣甚或動粗，因此這類型的父母會動用嚴厲的體罰。

冷漠型父母在四個類型中最缺乏同理心，他們會利用逃避眼神接觸傳達厭惡親密情感交流的訊息，有時候也會用空洞或凶狠的眼神瞪著你，要你走開。

他們主宰著整個家的氣氛，全家都要依照他們的意思生活，常見的例子就是對孩子毫無溫情，每件事都得以他為主，全家人都下意識避免惹惱他，例如冷漠又可怕的父親。**若父母是冷漠型，孩子常會對自己的存在感到愧疚，常會以為是自己惹爸媽心煩、生氣，很容易就放棄向父母需索**，不像有安全感的孩子會不停索求或埋怨來滿足自己的需求，因此長大後，若有需要也開不了口。

案例24

貝絲與冷漠的母親

貝絲的媽媽蘿莎，似乎從來就不想花時間跟她在一起。當貝絲去看她時，她拒絕擁抱，而且立刻找到理由指責貝絲來訪。她常常在貝絲一進門的時候，就催貝絲打電話給某個親戚，好像要把她趕去別的地方。只要貝絲提議一起消磨時間，她就會生氣，說貝絲太依賴她；每次貝絲打電話給她，蘿莎總是很快找到藉口打斷貝絲、結束談話，然後把電話推給貝絲的爸爸。

評量3

了解父母的情感缺失類型

想找出父母屬於哪一種類型，請逐一看過每項描述，勾選出哪些特質讓你聯想到父母或繼父母。請記住，壓力大時，所有類型都有情緒化的特徵；而這四個類型父母共有的特質包括：專注自我、缺乏同理心、不尊重界線、抗拒內心的親密感、拙於溝通、不願反省、拒絕修復關係、情緒反應激烈、衝動、無法維持親近的情感。

情緒型父母

□只顧自己的需求。
□缺乏同理心。
□過分涉入且不懂尊重界線。
□具防禦性的拒絕親近。
□絕不做雙向溝通，開口閉口只談自己。
□不懂自我反省。
□毫無修復感情的技巧。
□容易激動、欠考慮。
□要不太過親近，要不就太過疏遠。
□突然暴怒或打斷別人說話。
□情緒激烈讓人害怕、恐懼。
□期望孩子安慰他們，卻不曾顧及孩子的需求。
□喜歡裝做一切都不是他們造成的。
□把自己當成是受害者。

神經質父母

- □只顧自己的需求。
- □缺乏同理心。
- □過分涉入且不懂尊重界線。
- □具防禦性的拒絕親近。
- □絕不做雙向溝通，開口閉口只談自己。
- □不懂自我反省。
- □毫無修復感情的技巧。
- □容易激動、欠考慮。
- □要不太過親近，要不就太過疏遠。
- □有苛刻的標準，事事要求完美。
- □完全以目標導向，忙碌且目光如豆、以管窺天。
- □把育兒當成計畫任務，完全不管孩子的需求。
- □喜歡掌控全局。
- □以為自己最行。

消極型父母

- □只顧自己的需求。
- □同理心有限。
- □過分涉入且不懂尊重界線。
- □偶爾會在情感上親近。
- □只做有限度的溝通，大部分時間都在談自己。
- □不懂自我反省。
- □修復感情的技巧有限。
- □必要時會體貼細心。
- □要不太過親近，要不就太過疏遠。
- □和藹可親，但不具保護能力。
- □抱持放任心態，裝做一切沒事。
- □關愛孩子，卻不會為孩子挺身而出。
- □喜歡由別人來掌控全局或是扮黑臉。
- □自以為圓融、好脾氣。

冷漠型父母

□只顧自己的需求。
□毫無同理心。
□有任何人都不准踰越的界線。
□似乎不與人交流且帶有敵意。
□絕少溝通。
□不懂自我反省。
□毫無修復感情的技巧。
□容易激動，會攻擊、辱罵人。
□太過疏遠。
□忽視自己的孩子，甚或看到孩子就冒火。
□經常表現冷漠或生氣。
□覺得孩子很煩，完全不想靠近。
□喜歡嘲弄、趕人。
□覺得自己鶴立雞群。

總結

這些情感缺失父母都專注自我、不敏感體貼，因此無法提供孩子情感的滋養。他們欠缺同理心，所以難以溝通也難以交流，他們也都害怕發自內心的真實情感，並且藉由控制他人感到自在。他們會讓孩子覺得自己的內心被忽略、不被了解，且所有人都得順著他們，讓身邊的人感到筋疲力竭。此外，他們也都無法建立雙向的人際互動。

情感缺失父母可大致分為四個類型，但他們的孩子則主要分成兩種人格：內求型人格和外求型人格，下一章將會介紹這兩種因應風格。

Chapter 5

在缺乏愛的家中，我們只能埋藏真實的自我

隱藏真實自我，只為了在家中占有一席之地

情感缺失父母無法與孩子情感交流、給予足夠的關心和愛。孩子只能靠幻想療癒，想像未來會如何滿足需求。孩子也會在家庭中找到或創造特殊的角色來因應父母，也就是我所說的「偽自我」（role-self），用來引起自我專注父母的注意力。在這一章，我們會先看看療癒幻想和偽自我，接著探討情感受到漠視時，孩子採取的兩種極為不同的因應方式：「內求型」與「外求型」。

不幸的是，這兩種方式都無法完全發揮潛能。**由於父母只關注自己，孩子認為是真實的自我不夠好，才會無法吸引父母的注意，於是他們相信引起注意的方法就是不要做真正的自己。**

難過的是，由內在天性以及真摯情感所構成的真實自我，只能退居幕後，而且似乎不這麼做，孩子就無法在家中有一席之地。雖然真實自我仍然存在，但常受父母需求為優先的家庭法則打壓。在本書第七章，我們將會探討當退居幕後的真實自我浮現，喚起了人們的真實感受與潛能時會發生什麼狀況。不過在這一章，先讓我們看看療癒幻想與家庭中的角色，將如何影響童年與成年後的生活。

在情感缺失家庭長大，為何會有療癒幻想？

由於父母情感缺失，孩子不得不調整自己以配合父母有限的情感。孩子用來回應父母、換取父母關心的方式五花八門，但都幻想有一天會得到父母的關注。孩提時，我們會拼湊故事合理化我們的生活、建構對世界的認知、想像出讓自己好過些的事物而創造出療癒幻想——總有一天，我們會得到真正的快樂。

孩子常會認為，童年苦痛和情感孤寂的解藥，就是讓所有人變成別的樣子，療癒幻想幾乎都屬此類。因此，開頭都是：「要是……」例如：我要是無私或有吸引力，就有人愛；要是能找到體貼、無私的伴侶，就會被愛；或像有些人以為只要出名、有錢或是讓人害怕，生命就得救了。不幸的是，療癒幻想是孩子幼稚、幻想出的解決辦法，在現實世界行不通。但不論什麼幻想，都會給孩子正面的力量，讓他們撐過令人痛苦的教養方式，冀望更好的未來。許多人都用「總有一天，有人愛、有人關心」的希望，帶他們走過悲慘的童年。

療癒幻想如何影響成年後的人際關係

成年後，我們會偷偷希望實現那些幻想，下意識期望對方符合我們的童年幻想世界，也相信只要有毅力與耐性，終能改變別人。我們以為終會遇到優先考慮我們需求的對象，或是擁有永遠不會讓自己失望的朋友，以此治癒我們的情感孤寂。然而，這種無意識的幻想，常常會傷害自己，例如有位女士打心底相信，只有讓憂鬱的父親開心，才能活出自己的人生。她沒發現，就算父親沒走出憂鬱，她早已是自由之身、能過自己想要的生活。

另一位女士深信，只要對丈夫百依百順，就能得到她想要的愛。當丈夫遲遲沒有給予她想要的關注，就會對丈夫發脾氣。她覺得自己都這麼努力了，未能實現幻想讓她感到焦慮，但是怒氣蓋過了焦慮，因為她從小就相信，只要當「好人」，別人就會喜歡她。

我們常常不自覺把這種幻想加諸在他人身上，「愛的小試煉」就是其一，只有身為局外人才看得出這有多麼不實際。成功的婚姻治療通常會揭露：療癒幻想逼伴侶成全夢想中的快樂童年。

孩子的真實自我得不到適當回應，就會開始扮演「偽自我」

倘若你的真實自我在童年時期得不到父母或是扶養人適當的回應，為了設法走進父母的心，我們會放下自己，進而發展出某個虛假的角色或稱「偽自我」，以確保在家中占有一席之地。**這個角色會漸漸代替真實自我，深信：犧牲奉獻別人才會稱讚我、愛我；或是較負面的：只要能引起別人注意，做什麼都可以。**

偽自我的篡位過程是無意識的，沒有人一開始就有如此計畫，而是藉由別人的反應，透過修正慢慢創造出這個角色。不論偽自我是正面還是負面，都是孩子心目中最好的歸屬。接著，當我們長大後，會繼續扮演這個角色，希望某個人會注意到自己，就像希望父母注意到我們一樣。

或許有人會問：「為何不是創造出完美且正向的偽自我？為何那麼多人都在扮演著失敗、憤恨、精神錯亂、情緒不穩定或其他悲慘的角色？」其中的原因是：「並非所有孩子天生就會自我控制、與他人互動。」有些孩子受遺傳或神經系統驅策會有衝動的反應，無法有建設性行為。

另一個原因是：情感缺失父母會下意識利用不同的孩子，呈現出自己未被解決的偽自我及療癒幻想，比如說：有的孩子會被父母理想化、比較受寵、被視為乖小孩；有的卻被貼上無能、老愛搞破壞、無可救藥的標籤。

情感缺失父母如何影響偽自我的發展

舉例來說：缺乏安全感的母親會增加依賴心重、焦慮型孩子的恐懼。母親保住在孩子心中的地位，成為孩子的生活重心，才能感受到「終於有人需要我了」；或是自卑的父親會貶低兒子，讓自己感覺強壯、不被比下去，認為「只有我最行，我必須糾正所有人」；又或許是父母對自己的易怒、任性視若無睹，卻放大檢視孩子的這些特質，認為「我們是充滿愛的父母，但我們的孩子脾氣很差、目無尊長」。**父母並非有意破壞孩子的未來，但是自身的焦慮，讓他們只能在孩子身上看見自己負面、不討喜的特質，這是非常強烈且超越意志的心理防禦反應。**

若孩子就像發現正確鑰匙般，找到某個符合父母內心期待的角色，就會立刻認同並轉變為這個「偽自我」，當你愈貼近家庭所期待的角色，真實的自我就會逐漸消失，並破壞孩子成年後的親密關係。偽自我無法建立起深刻、圓滿的關係。我們必須呈現真實的自己，才能讓對方有足夠的線索產生連結，否則充其量只是兩個偽自我在演戲而已。

偽自我的另一個問題就是缺乏能量來源，必須從真實自我竊取生命力。扮演其實比當真實的自己還要累，必須花費很大的力氣假裝成另一個人。由於偽自我是捏造出來的，所以會很沒安全感、害怕被揭穿。

偽自我無法維持很久，因為天性無法隱藏，內心的渴望遲早會浮上檯面，停止扮演時，反而會活得更輕鬆有活力。

練習 1

認清自己的療癒幻想與偽自我

請準備兩張紙，一張標明「療癒幻想」，另一張標明「偽自我」。

第一部分是幫你探索並認清自己的療癒幻想，請不要思考，用直覺完成下列句子，並抄在「療癒幻想」那張紙的上半部。

我希望其他人能夠更＿＿＿＿＿＿＿＿。

為什麼要其他人＿＿＿＿＿會這麼難？

如果可以改變，我希望有人待我如＿＿＿＿＿。

也許很快我就會找到一個＿＿＿＿＿的人。

在理想世界中，所有人會＿＿＿＿＿。

現在用同樣方法找出你的偽自我，請同樣以直覺完成下面所有句子，並抄寫在「偽自我」那張紙上。

我努力想要成為＿＿＿＿＿。

別人喜歡我是因為＿＿＿＿＿。

別人都不懂欣賞我＿＿＿＿＿。

我每次都必須成為＿＿＿＿＿的人。

我曾試著當＿＿＿＿＿的人。

完成所有句子後，用你寫下的字句另外書寫兩個簡短描述，其一是關於你的療癒幻想，其二是關於你的偽自我。這個步驟會顯現你偷偷希望別人做什麼改變，才能讓你覺得被重視，還有你該怎麼做才會被愛的內心渴望。

最後，總結你用此練習看見自己曾試著改變別人、扮演偽自我時，各是什麼感覺與心情。

你想要繼續幻想、繼續扮演下去嗎？還是準備發掘、展現出真實的自己？若你準備好更貼近真實自我的人生，接下來的內容可以幫助你。

因應情感缺失父母的兩種類型——內求型與外求型

每個孩子的療癒幻想和偽自我都不同，但情感缺失父母養大的孩子，大抵採取兩種解決方法：向內心尋求答案，或向外界尋求解方，也就是情感內求型與情感外求型人格。**情感內求型的孩子相信改變得靠自己，外求型的孩子則指望別人改變**。在某些情況下，孩子會同時抱持這兩種信念，但是大多數孩子在博取情感需求時，只會選擇一種主要因應方式。

至於孩子採用哪種模式，取決於他的人格、性格，而非出於個人選擇。兩者都是為了滿足需求，有些時期會採取內求型模式，有時則採取外求型模式，但因為個性不同，可能會偏向其中一種。最理想的方式莫過於在兩者間取得平衡：內求型學會向外求援，而外求型學會看見自己的內心並且尋求自我控制。

情感內求型人格：透過自省逐步向外解決問題

內求型活躍、好學習，透過自省再逐步向外解決問題。他們會從錯誤中學習、心思敏感、願意嘗試了解因果關係、認為人生就是不斷自我成長且享受成就感。他們相信努力就能有所改善、靠自己且有責任心。他們焦慮於讓別人不高興，或是擔心偽自我被戳破。在情感中最大的缺點就是過度自我犧牲，之後又為自己的付出忿恨不滿。

情感外求型人格：行動先於思考，容易有衝動的反應與行為

外求型行動先於思考，為了盡早平息焦慮，他們會有衝動的反應與行為。他們不大反諸求己、不檢討自己的行為，而將過錯歸咎於他人或是環境。他們體會到人生是一連串嘗試錯誤的過程，但絕少記取教訓。他們深信世界該為他們改變，唯有別人提供他們所缺的，問題才能解決。他們常搞得剪不斷理還亂，別人不得不幫他們收拾爛攤子。

外求型對自己沒自信，或因自卑而自大，覺得老天很不公平，好事都發生在別人身上，而且有能力的人應該幫助他們。他們依賴外在世界的慰藉，追逐短暫的快樂，所以

容易濫用藥物、酗酒、成癮，當所依賴的外界資源斷絕時則容易焦慮。在感情中最大的問題包括：易受衝動型的人吸引、過度依賴他人支持與安定感。

混合型因應模式：結合了內求型與外求型人格

誠如人性，人格特色也不會只有單一形式，我們無法明確區分所有特徵。內求型人格和外求型人格是一體兩面，只是會出現偏向某一端的典型。

某些情況，兩種人格各自展現的行為和態度會讓人聯想到另一種人格。比方說，當外求型極低潮時，有時也會想力圖振作，不坐等世界為他們改變；而內求型在極大的壓力下，也會變得跟外求型一樣衝動。

評量 4

找出你的因應模式

這個評量會讓你明白自己偏向內求型還是外求型，也可以利用下方的評量表檢測別人，看哪一種模式較符合他們的特質。

請注意，下面所列特性都屬於極端表現，以便突顯面對挑戰時，兩種模式的差異。現實生活中，人人都具有這兩種因應模式，只是大部分的人會傾向某一種。

內求型人格特徵

❶人生觀

□擔心未來。
□認為問題要從內在解決。
□深思熟慮又富同理心，思考：「我該怎麼做才會更好？」
□未雨綢繆。
□高估困難度。

❷面對問題的反應

□想要弄清楚發生了什麼事。
□發生問題時，找出該承擔的部分：「在這當中，哪些是我的責任？」
□反諸求己、擔起責任。
□獨立思考問題所在，並設法解決。

□面對現實，並且願意改變。

❸心理類型

□三思而後行。
□認為情緒是可以控制的。
□容易有罪惡感。
□受心理層面、內心世界吸引。

❹與他人相處的模式

□預先設想他人的需求。
□尋求自我改變以改善處境。
□與人商量、對話，共同處理問題。
□想幫助別人看清問題。

外求型人格特徵

❶人生觀

□活在當下，不顧後果。

□認為問題該從外部解決。

□仰賴別人進行改變，思考：「別人會怎麼處理這種狀況？」

□先做了再說。

□低估困難性。

❷面對問題的反應

□發生問題時容易大驚小怪。

□出問題都是別人的錯。

□責怪情勢、大環境。

□遇到問題時別人也有份。

□否認或逃避現實，只求輕鬆度過。

❸心理類型

□衝動、自我關注。

□ 認為情感、情緒難以預測。
□ 容易惱怒。
□ 對內心世界、心理層面興趣缺缺。

❹ 與他人相處的模式

□ 期待他人提供協助。
□ 認為是別人應該改變。
□ 期待別人傾聽，常滔滔不絕的發表長篇大論。
□ 要求別人停止「嘮叨、碎唸」。

情感缺失父母，大多是外求型人格

很難區分哪種模式好或不好。在精神上，內求型比較受折磨，但他們習慣先歸咎自己，反而激發旁人的安慰和支持。相反的，外求型容易激怒別人，所以當他們需要幫忙時，旁人通常會保持距離。

沒人幫忙時，外求型常會耍任性直到有人伸出援手；內求型則默默承受，就算快要崩潰也會裝得若無其事，因此旁人不伸出援手，是因為不知道他們需要協助。

會被本書吸引的大多是內求型，因為這本書的宗旨是在幫助讀者了解自己與別人，外求型通常對此不感興趣。當然，內求型需要了解外求型才能更容易面對他們，尤其是情感缺失父母大部分都屬於外求型人格。這類型人格會對抗現實、不懂順應時勢，當遇到問題時只會怨天尤人，跟小孩子沒兩樣。自我究責、反省的人則追求心靈成長；怨天尤人則會阻礙心理發展，也與情感缺失有關。由於第六章將會深入探討內求型人格，所以接下來的內容就先來討論外求型人格。

為了逃避對自我的厭惡，外求型人格會將過錯推給旁人

若外在表現容易招致懲罰和拒絕，相對於乖乖牌的內求型人格，外求型容易焦慮、痛苦或是憂鬱。他們的衝動行為凸顯了內在問題，雖然這麼做會覺得好過些，但後續會衍生一連串的問題。

面對衝動造成的後果時，強烈而短暫的羞愧或挫敗讓外求型難以忍受。他們會在羞恥感萌發前就先發制人，而不去思考是否該做些改變，因此不斷陷入惡性循環——為了掩滅羞恥感而更為衝動。

於是，外求型會不斷降低自我價值、覺得自己很糟糕，為了逃避對自我的厭惡感，編藉口把過錯推給旁人、開脫自己。這種策略不會贏得他人同情，只有同是外求型才會買單，因此常常得不到需要的情感支持。

外求型人格冀望他人解決問題

外求型沒有機會從錯誤中學習成長，因為壓力一出現他們就逃避，總寄望別人助他們度過難關，甚至還會埋怨沒有早點獲得幫助。他們就像個插頭，總是尋找外部電源；內求型則像是內建電池，雖然也需要充電，但不會把問題都推給別人。

雖然尚待證實，但外求型的因應模式最終會導致情感缺失。情感缺失父母大多會推卸責任，總把問題往外推，因此外求型無法學會自我控制。他們經常被情緒淹沒、不願承認問題的嚴重性、把事情推得一乾二淨、認為現實應該如他們的意，但成熟的人則會順應現實處理問題。

外求型會導致孩子情感過度依賴父母，情感缺失父母甚至會寵溺外求型孩子，畢竟處理孩子失控時，父母沒有時間思及過去的痛苦，而會扮演起強壯父母的角色，幫助弱小、無法獨立的孩子。

儘管外求型孩子常會有問題行為——衝動、情緒不穩定、甚至容易成癮——但這些外在表現也讓他們苦惱。不像內求型辛酸無人問，外求型行為常被解讀成：挑釁、作對、無腦、煩人。

外求型人格常伴隨激烈行為

外求型常伴隨激烈行為，極端的像是掠奪，或是剝削壓榨且完全不顧他人權利與感受的反社會人格。輕者會像內求型般沉默、不與人起衝突，但仍相信是別人該改變，不過因為他們在成長過程中比較順從，可能會隨著年歲增長而學會自省。

某位個案前來求診就是因為常在壓力大時失控，對妻兒大吼大叫。他的原生家庭家教嚴厲，經常受父母外求型人格的耳濡目染，一犯錯就會被揍或是被羞辱。但他由衷想要改善家庭氣氛，努力接受妻兒各有情緒、感覺、權利，認清自己要跟妻兒合作，而不是用權威控制。

溫和的外求型人格展現出的特色不一，如同前面提過，他們表面上看起來很像是內求型，但判別方式就是——是否會把自己的不快樂歸咎於他人。我們來看看下面這則故事：

案例25

覺得被枷鎖鍊住的羅尼

表面看來，羅尼是具同理心的內求型人格，想讓每個人開心，所以凡事聽從妻子莎夏的指揮，讓她來主導自己的生活。

因為沮喪、覺得迷失了自我，所以羅尼前來求診。他害怕惹莎夏生氣、怕失去她而不敢抗議莎夏限制他的生活。對外，他宣稱一切都是自己做的決定，但內心卻埋怨莎夏。他認為莎夏操控他的喜怒，覺得一切都得經過她同意、覺得失去了自由，這就是典型外求型人格模式。

小時候，羅尼的母親對他採取專橫的教養，長大後的羅尼仍然覺得自己是個受權威壓迫的孩子，只是壓榨者換成了莎夏。某次諮商中，他形容自己像是個囚犯、被枷鎖鍊住的男人，這個論述相當符合外求型人格特徵。

羅尼不像許多外求型對人頤指氣使，但本質上是一樣的。他認為所有的問題都是別人造成的，直到深入探究後，才明白自己的問題就是外求型人格的特徵。幸虧在接受治療後，羅尼看清了自己，開始為自己發聲。這時，因為羅尼不表達才主導一切的莎夏，才知道原來羅尼不開心。

失控的外求型孩子，會傷害家中的內求型孩子

我有許多內求型人格個案和失控的外求型手足同住，他們都遇到相同的處境：不管是什麼排行，小時候都有個侵略型、被慣壞了的手足讓他們日子不好過，而爸媽也從來不管。只要那位手足覺得無聊或不高興，就發洩在這些個案身上。通常，父母會認為那些外求型的手足在某方面比較特別，所以從不追究他們的不良行為。有時候，這些侵略性強的手足甚至會施以性侵害，這些受害的個案不會告訴父母，因為他們認為父母不會相信自己；又或者他們向父母舉發，父母卻護著施暴的一方。

外求型手足也會施以精神上的折磨，全家都被他們的困難和脾氣統治。情感缺失父母經常粉飾太平，或是搭救外求型人格的孩子，他們總是被姑息放過，而內求型的手足會覺得自己完全無法脫離這個情況。久而久之，因為外求型的人老是做出衝動的選擇，把自己搞得一團糟，看起來也只能這麼辦。

家裡若是有外求型的兄弟姊妹，父母多半要內求型的孩子不得抱怨不公平，要他們體諒外求型手足的問題、和他們好好相處。對父母來說，惹毛外求型的孩子很不值得，但是看在內求型孩子的眼裡，就會認為該把自己的需求放在次要地位，而專注在外求型孩子的需求上。

外求型的孩子常會反過來誣控他人施暴，表現得像是需要特別關注的無辜受害者。有位女士受到外求型弟弟指控，說她小時候曾性侵他，這讓她震驚極了。弟弟小的時候，爸媽全心照顧長臥病榻的祖父，她為了照顧弟弟犧牲了自己的青少年生活，而弟弟的無端指控，正是他把無法獨立生活的原因推給他人的絕佳藉口。聽到這些指控，爸媽立刻站在弟弟那邊，完全不管那位女士如何發誓自己是清白的。於是弟弟扮演著無辜受害者，而父母扮演了拯救者，這樣的組合正好是這個段落的最佳例證。

外求型人格也可以變得內省

每個人都具有這兩個面向，只是依狀況呈現出其中一種。會尋求心理治療、喜歡閱讀自我成長書籍的人，較可能採取內求型因應模式，總想試著找到改善人生的辦法。

相反的，總是把問題歸咎外在因素的人，會來接受治療多是因為外在壓力，如法院命令、另一半以離婚相逼，或是勒戒等等。許多毒癮治療方式漸漸改為誘導外求型人格採取內求型因應模式，讓他們為自己的行為負責，像是匿名毒癮互助會的運作方式，就是讓外求型的人轉變成為內求型，督促自我改變。

確切來說，外求型人格較不切實際、欠缺彈性，而極端外求型不成熟的因應方式，不僅無法好好經營人際關係，也不利於心理的健全發展。

內求型人格在壓力下也會推卸責任

另一方面，內求型在極大的壓力或是孤單時，也會落入外求型模式。有時候，過度自我犧牲的內求型會用外遇，或是逢場作戲等方式發洩苦惱，並且常會為此極度羞愧、有罪惡感、害怕被逮到；然而，他們又深受可以逃離情感貧瘠或是缺乏性愛的生活吸引。外遇讓他們重新感受到活力、特別，也有機會滿足原本關係中沒被關注的需求，又不破壞現狀。因為有責任心，所以會先對另一半訴說自己不快樂，倘若另一半沒聽進去或是冷漠回應，內求型就可能向外發展，找人拯救，這正是標準的外求型模式。

這或許可以解釋許多中年危機案例中，為何原本有責任感的人，在某些價值觀上竟有驚人的改變。他們似乎突然拒絕承擔責任與義務，追求只顧自己開心的人生。但就典型的內求型人格來說，這樣的轉變並不出人意料。或許是多年來自我否定，加上內求型終於發現自己總把別人的需求擺第一所造成的結果。

除此之外，藥物濫用也可能是內求型會採取的逃避方式，下面的故事就是一例。

案例26

透過藥癮逃避生活的榮恩

長年受背痛所苦的榮恩屬於內求型人格，他一輩子都在取悅自我沉浸的母親和吹毛求疵的上司。剛開始接受治療時，榮恩仍然像內求型般尋找改變人生的方法，後來隨著漸增的工作壓力，他開始覺得人生孤單，於是拚命吃止痛藥、酒也愈喝愈多。榮恩最後坦白，自己吃藥喝酒都過頭了。沒多久，他住進療養院控制藥癮跟酒癮。經過治療後，榮恩終於能靠自己的內在因應方式來解決問題，而不再透過外求型的因應方式，靠藥物逃避。

不論是外求型或內求型因應模式，都有可能是助力或是阻力

極端的人通常會有嚴重的問題：極端外求型較會出現的具體徵狀像是「捅婁子」；而極端內求型容易出現心理徵狀像是「焦慮或是憂鬱」。

回頭看前面的「評量4」，你會發現在不同的情境下，每一項特徵有時是助力，有時也會成為阻力。比如說，內求型可能會缺乏行動力、有話不說、避免求助，而往自我毀滅發展；儘管外求型可能活得一團糟，但因為性格衝動卻更願意採取行動、嘗試不同的解決方法，在某些情況下反而需要那股衝勁。**只要在對的情境，兩種模式都有可能是**

助力，要是卡在某個模式鑽牛角尖就會有問題。

對外求型人格的描述，的確反映出較不切實際、欠缺彈性，這是因為極端外求型過於單一且不成熟的因應機制，無法營造出成功的情感關係，也不利於心理的成熟發展。

總結

孩子面對情感缺失父母時反應不盡相同，但都會在潛意識發展出療癒幻想，想像事情會如何變好。因此當真實自我不被接受，就轉而扮演起偽自我，以保有在家中的一席之地。此外，面對情感缺失父母的養育模式，孩子也會發展出兩種主要因應模式：外求型或內求型人格。外求型認為，他人與外在環境需要解決自己的所有問題；內求型則反求諸己，自己解決問題。在當下，兩種模式都可能是有利的，然而內求型較不會製造對立或是讓他人為難，可能最後會增加自己的壓力。

在下一章，我們會更深入了解內求型的因應模式，也會談到內求型在童年時期的療癒幻想為何讓他們受困於自我毀滅的角色當中，以及重新找到真實自我、讓他們自由。

Chapter 6

渴求親密感，爲什麼讓我們更容易受傷？

敏銳而容易受傷的內求型人格

童年時期，敏銳的內求型人格容易注意到「父母是不是真正與他們交心」，比起不敏感的孩子，情感上更容易受傷，並且在成長中深受情感缺失父母的影響。內求型能夠敏銳注意到與所愛之人的微妙關係，若父母無法與他們情感交流，他們會更明顯的感受到情感缺失帶來的孤寂與痛苦。

在這一章，我們會更詳細的探究內求型者的特質、探討內求型因應模式的隱憂，尤其是對親密關係的渴望，如何引導內求型為他人付出過多，甚至到了忽略自己的地步。

內求型人格對情感更敏感且敏銳

內求型的你也許會好奇，為何自己這麼清楚他人的內心狀態。也許正是你的神經系統，讓你對他人的感覺與需求更加敏銳。

內求型極度敏感，比大多數人更細膩，他們就像情緒音叉，會因為別人及周遭的情緒波動引發共鳴。這樣的感知是幸運也不幸，某位個案曾說：「我的腦袋是個大海綿！它會吸收所有事物。」

內求型或許天生就有機敏的神經系統。研究發現，寶寶在很小的時候就會顯現對環境的敏感程度。有些嬰兒在五個月大時，對周遭事物的興趣與感知力就比同齡嬰兒更高，這些特質也在成長期間影響孩童行為。

神經科學家史蒂芬．波吉斯（Stephen Porges）的研究中提出了強而有力的證據，證明新生兒的神經系統天生就有差異。研究指出：幼兒受到壓力時，在自我安慰、調節生理能力就已經有很大的差異。在我看來，這說明了某種特質在嬰兒時期就出現了。

內求型人格具有強烈的情感

不像外求型，內求型不會立刻表現自己的情緒，當他們克制著自己時，就有可能讓情緒更加強烈。加上內求型的感受深刻，經常看似過度敏感或是太過情緒化。感受到痛苦時，內求型會悲傷、哭泣，這種表現讓恐懼情緒的父母無法忍受。然而，外求型則一有強烈情緒，在陷入更悲傷前就會表現出來。儘管外求型的行為是由情緒引發，但一般人會認為他們是行為問題，而不是情緒問題。

面對外求型孩子的行為，情感缺失父母可能會吼叫或處罰，但可能會用侮辱、輕視、嘲弄來處理內求型孩子的情緒。**外求型孩子會被說成行為有問題，但內求型孩子收到的訊息則是自己的本質有問題。**就像有位女士的父親曾諷刺她應該要出一本自傳，書名叫《打翻牛奶也要哭》，意指「為無法挽回的事難過」。這讓她深受傷害，因為父親直搗她的痛處，因為她無法改變情感強烈這個特質。

內求型人格，需要深刻的情感連結

由於內求型容易受情感波動，對關係間的親密感狀況非常敏感。他們全心全意渴望真情與親密，少一分都不行，當遇到情感缺失或是懼怕情感的父母就會非常孤寂痛苦。

內求型的共同點是「他們需要分享內心的情感」。小時候，真情交流是他們存在的真諦，有人陪伴卻無法有情感交流讓他們痛苦，冷漠的面孔都會一點一點傷害內心。他們會察言觀色，確認彼此是否真心交會，這不是想找人聊天的社交衝動，而是強烈渴求與興趣相投且了解自己的人心連心。對他們來說，與了解自己的人心意相通是最令人振奮的事，因此無法與看重的人交心時，就會感到情感孤寂。

第四章提過，在安全依附關係中的寶寶會期待得到父母的情感回應、和父母雙向互動，而親子之情正是從這裡建立。研究顯示，當母親停止回應、面無表情的時候，寶寶會顯得悲傷或痛哭。讀者可以到Youtube搜尋「木無表情實驗」（Still Face Experiment），就能看見這種苦楚有多麼尖銳。

若內求型孩子遇上自我沉浸的父母，會以為當小幫手、隱藏自己的需求，就能贏得父母的愛。然而，「受倚重絕不等於被愛」這個最大問題終會浮現，因為對嚴重自我沉浸的父母來說，沒有小孩好到能引發他們的愛。儘管如此，孩子仍相信：與他人心連心就要付出代價，也就是以別人的需求為優先、把別人看得比自己重要。他們認為不斷付出就能維繫關係，為了贏得父母的愛拚命做乖孩子，殊不知，有條件的行為換不到無條件的愛。

案例27 對情感缺失父母感到憤怒的蘿根

四十一歲的音樂家蘿根，聽到傳喚聲後走進我的辦公室。如火雲般的紅髮加上一身黑衣，瘦骨嶙峋的她像極了燒盡的火柴棒。她毫不浪費時間，開門見山便說來尋求治療是因為愈來愈容易被激怒，事後也愈來愈難以放寬心。她知道許多問題是來自對家人的憤怒，因為從那裡得不到情感回應。儘管她的家庭標榜著傳統、信仰虔誠、強調親密團結和忠誠，但她卻感受不到與家人有所連結，也不知道該如何與父母手足互動，同時又能做自己。

「我受夠了他們的淡漠，」蘿根憤恨的說，「我無法讓他們聽見我的心聲，或是看到我這個人。」隨後她垂下肩膀，用很小、沒自信的聲音說，「從小我就被教導要當個乖小孩，但我做得並不好。難過的時候都沒人理我，就算全身著火，他們也不會注意到。」

蘿根的憤怒之下，是隱忍已久的悲傷。她想知道，為何父母看似正常的行為，卻讓自己覺得被排拒。孤單的感覺和家人所傳頌的愛與團結並不相符，她想知道自己哪裡有問題，也許他們早就受夠她了？

身為內求型的蘿根，對真摯情感連結有強烈的需求。不幸的是，父母與手足只關心自己，對情感連結漠不關心，沒有人會注意「感覺」這件事。她對情感的熱中完全得不到共鳴，而情感缺失父母和手足，則堅持固守狹隘的家族角色。

蘿根最後說：「我的父母非常沒有同理心，我們就是不對盤。對他們來說，拒絕和我處在相同頻率比較安全，但卻讓我身心俱疲。」

蘿根也試過改變自己，成為爸媽能接受的人，但她就是做不到；當她試著在現實中與父母更親密時，也讓她覺得挫敗。當這些嘗試以失敗告終時，卻讓她陷入自我懷疑和深沉的困惑，懷疑自己是否對情感索求無度？

然而，沒有人注意到蘿根受心靈苦痛之火焚燒已久，因為她聰穎、事業成功。在成功的光環背後，缺乏與家人的親密情感讓她極為空虛寂寞。為了填補這個空缺，蘿根經常逗別人笑、讓別人有好心情，她覺得自己的存在價值只剩下為他人付出了多少，無關自己的本質。

內求型人格具有強烈的社交本能

覺得孤單、缺乏情感交流讓人壓力龐大，但是你可曾想過這是為什麼？純粹是因為一個人時比較不開心、沒意思？還是有更深層、更基礎的作用？以至於對人類來說，最嚴厲的懲罰，通常是流放、放逐、禁閉、驅逐。為何情感連結這麼重要？

神經科學家史蒂芬・波吉斯指出，除了跟爬蟲類一樣具有「戰、逃、僵住不動」的非自主壓力反射之外，**哺乳類動物演化出的獨特本能是：只要接近同類、藉由向同伴尋求接觸，就能緩和心跳、降低壓力下的生理耗能並且平靜下來。**

哺乳類動物的迷走神經（vagus nerve，支配呼吸、消化兩個系統的絕大部分器官、心臟的感覺、運動，以及腺體的分泌）已進化到透過彼此身體靠近、碰觸、鎮定、安撫的聲音、眼神交會等等，就能降低壓力荷爾蒙、平緩心跳，以節省寶貴的能量，同時建立個體間愉悅的社會關係、增強群體力量。

對哺乳類動物而言（包含人類），尋求安慰的欲望有種魔力——儘管危險尚未解除，只要能感覺到跟族群或親人相連，就會相對平靜。哺乳類動物的生活大多充斥著壓力，但幸虧這個本能，才能隨時得到撫慰、重新獲得力量、採取有效的方式處理壓力。這樣的生存模式比起其他物種更具優勢，因為當哺乳動物感到威脅時，不需要每一次都進入「戰、逃、僵住不動」模式，在壓力下也不會耗盡能量。

渴望情感交流是正常的，絕非依賴

對內求型的人來說，正面看待自己對情感交流的渴望很重要，不該解讀成黏人或是依賴。就算會換得冷漠父母的訕笑，**在焦慮不安時向他人尋求安慰會讓人更強壯、更有**

適應力，也顯示我們的本能依然正常運作。內求型天生就知道互相依靠會帶來力量，這正是哺乳類動物的生存之道；只有懼怕情緒、情感缺失者才會以為需要被同理、被了解是弱者的表現。

在家庭之外，與他人培養情感連結

由於內求型感知力強，又具有強烈的社交需求，內求型孩子善於找到家人以外的情感連結。內求型者會注意到，他人溫暖的回應將會讓他們自然而然尋求與非親非故、感到安心的人建立情感關係，以獲取更多的安全感。許多個案都因鄰居、親戚或是老師的關心，以及覺得被看重，而大大改變了人生。有些人從寵物或是兒時玩伴找到類似的精神支持，有些人甚至可透過自然及藝術鑑賞得到共鳴，讓心靈獲得滋潤。精神上的信仰也能連結到更崇高的世界，得到類似的滋養。

外求型的人同樣有心情撫慰的需求，只是他們會把自己的需求強加在他人身上，讓別人成為他們情緒的俘虜。他們常常利用自己的行為迫使別人給出特定回應，但因為他們都是用操弄的方式達到目的，所以得到的關注不如透過自發且真誠的情感交流，能讓人心滿意足。外求型的人也會用責怪，或利用他人的罪惡感來獲取關注，如此一來，無論他人是否願意，往往會覺得「不得不幫」，長此以往就會積怨漸深。

逃避互動與情感缺失的關聯

情感缺失者大多屬於：不懂得透過真情交流獲得平靜的外求型人格。當他們缺乏安全感時不會求取安慰，反而覺得受到威脅，所以發起「戰、逃、僵住不動」的本能。對人際關係產生焦慮時，不是設法拉近距離，而是用死板、防備的動作將人推開，例如憤怒、責怪、批評、控制等等。他們不知道該如何處理，於是用拙劣的方式尋求安慰。

難過的時候，外求型看似想得到支持，但卻只像恐慌發作，而非與他人進行情感連結。就算耗費很大的力氣讓他們平靜，外求型仍茫然多疑、流露不滿，因為他們並未完全敞開心扉。協助者會覺得自己沒有幫上忙，對雙方來說都不是愉快的經驗。

生命存亡關頭，情感連結所扮演的角色

透過親密連結獲得安慰，不僅讓人感到愉悅還能給予活下去的力量。當生命受到威脅時，藉由緊密連結得到安心與支持，是存活的特點。想像一下，遇到緊急狀況時，若是另一半只有「戰、逃、僵住不動」的反應，要撐過漫長的挑戰會是多麼艱難啊！絕境存活調查顯示，所愛之人可以燃起生存意志力。

既然情感連結強大到能助人度過災難，就更容易度過日常挑戰。每個人都需要深入

的情感連結以獲得安全感，所以需要情感交流，絕不是弱者的表現。

內求型人格會因為自己需要幫助，而感到羞愧

當內求型者決定尋求治療的時候，通常會覺得難為情，而且自認不配受到幫助。情感缺失父母養大的內求型孩子，當自己的感覺被認真看待時會覺得很意外。畢竟他們經常輕描淡寫將自己的痛苦說成是「丟臉的」或是「愚蠢的」事情，甚至說自己不該占據治療時間，還有人更需要幫助。說出這些話的人，或許家中就有霸占所有注意、被認為是最需要幫助的外求型人物。

童年時，若內求型者敏感的情緒曾遭到羞辱，成年後會不好意思表露深層情感。在治療時哭出來還會急忙道歉，彷彿談論心裡的苦時，不能表露情感，有人甚至會不好意思「浪費」治療師的面紙，深信自己內心深處的情感會惹人厭。

若有人真心在乎他們的感受，內求型就會立刻失去防備。曾有個案在治療一開始，就驚訝得說不出話來。她用奇怪的眼神看著我，隨即感嘆的說：「妳真懂我。」她知道我能越過看似光鮮亮麗的生活，理解她所描述的深層痛苦。「從未期望被理解」就是內求型的表現。

內求型孩子在家中不顯眼、容易被忽略

我們很容易在家庭成員中認出外求型孩子——動不動就發脾氣的孩了、老愛惹麻煩的少年、總是在製造問題的老小孩。無論什麼問題，父母最先關心、投注更多心力的都是這些外求型孩子。

由於內求型會往內心尋找支持、怕給人添麻煩、總是自己設法解決問題、不好意思尋求幫助，就顯得不太需要注意、關愛，變成很好帶的孩子。而忙碌或是專注自我的父母，就很容易忽略這些獨立自主的孩子，以為他們沒什麼問題、不太需要注意。然而，這並不代表可以忽略他們的情感。

情感缺失父母以為內求型孩子有能力照顧自己，就讓「看似獨立的孩子」發展自己的生活。然而儘管內求型的反應比較獨立，依然需要父母的關心以及長時間的情感交流。情感上被忽視對每個孩子都是傷害，尤其是情緒感覺極度敏感的內求型孩子。

內求型孩子，只能靠些微的認可過活

遭受情感忽視的內求型孩子，長大後仍然覺得凡事應該靠自己，而他們通常也能獨當一面。由於內求型喜歡學習、會記取經驗，所以也會把別人的回饋貯存在心裡、撐過

得不到關注的時期。他們有絕佳的情感記憶，當滋養不足時就會從內心提取。有位個案把這個感覺稱為「以空氣為食」，他解釋：「社會交流像是微量元素或是維他命，不需要攝取很多，但缺乏時就會生病。」

某次，慣於幫助他人的男士聽到姊姊感激他多年來的作為時，大為吃驚、嚇得不知所措，因為他從未料想到會被注意。**內求型的另一項特質是：總把別人的事當成是自己的責任，只要些微的認可，就能讓他們感激涕零。**

什麼樣的狀況，代表童年遭遇情感忽視

只要父母情感缺失，他們的孩子必定會受到嚴重的情感忽視。然而，對孩子而言，這種情感剝奪常是無聲無形的經驗，孩子會感受到空虛，卻不知如何言明，他們在成長過程中不斷承受情感孤寂，但不知道是哪裡出了問題，只覺得自己跟那些看起來很自在的人們不一樣。若想知道自己在小時候是否也遭遇過情感剝奪，可以閱讀傑弗瑞・楊（Jeffrey E. Young）和珍娜・克羅斯科（Janet S. Klosko）所著的《重建生命的內在模式》（*Reinventing Your Life*），書中的內容可幫助讀者判斷自己是否受到情感忽視。

人們往往從書裡讀到後，才知道自己遭受過情感忽視。他們前來接受治療時，從不認為自己的情感曾經受到剝奪，但隨著深入檢視，才憶起自己小時候並沒有被當成小孩

般適當的呵護過。這些回憶多是關於：**在可能會有危險的情境下覺得孤單、不受保護，或是父母或照顧者不夠關心孩子可能會出什麼事情。**其實，孩子多半知道自己需要父母機警的照顧與看顧，有位女士曾憶及自己四歲時，被單獨留在海灘上超過一個小時，媽媽也沒有試著來找她，而這段回憶也得到其他人證實。還有一個人想起小時候某次去游泳池玩時，只敢離池邊遠遠的，因為她知道媽媽完全沒有注意她的安危。

能獨立照顧自己的內求型孩子，給人一種不太需要他人照顧的印象，人們會以為他們不需要任何人費心關注、小心照顧。因為他們個性「老成」，父母也常認為他們總是會做對的事。他們熱心幫忙，並且總是扮演著獨立自主的角色，所以長大後很容易為他人犧牲太多。

案例28

從小被迫獨立的珊卓

珊卓十一歲的時候，她和七歲的弟弟一起被送到別州親戚家過暑假。媽媽顯然很放心，只送他們上了巴士，便讓孩子自己開始漫長的公路之旅，且途中還得在半夜轉搭別班巴士。儘管珊卓自己都怕得要死，但她知道自己必須保護弟弟。換做是其他小孩一定會驚慌失措，但內求型孩子卻不得不保持極度專注，因為他們得設法解決沿途遇到的問題。珊卓說：「我弟弟怕得要命，哭了很久，我只得忍著，因為我知道這一路上只能靠自己盡力而為。」

案例29

接手照顧姪子的貝絲妮

貝絲妮十歲的時候被送到巴西，照顧不負責任的哥哥和新婚小妻子生的孩子。哥哥和嫂嫂喜歡出去狂歡，貝絲妮就必須照顧小姪子。暑假結束，母親要貝絲妮繼續留在巴西幫哥哥的忙，沒有回學校上課，直到不知怎麼的，母親良心發現才把貝絲妮接回家。

貝絲妮的母親就是典型專注自我、情感缺失的母親，不知道內求型孩子再能幹，也只是需要別人照顧的孩子。

內求型的孩子，只能學會忽略自己的感覺

那些不得不堅忍、自己處理事情的孩子，會漸漸發展出排拒自己感覺的態度。或許是知道情感缺失父母無法幫助他們，所以學會了跟這些痛苦的感覺保持距離。

案例30

在治療時拚命道歉的莉亞

某次治療時，從小遭受情感忽視的莉亞，為自己「仍然感到憂鬱」而拚命道歉，認為自己的憂傷會惹我心煩、生氣。

莉亞以為我只想聽到「她已經好起來了，並且因為成功治療她而高興」，無法想像我會關心她的真實情緒。從小，每當莉亞表達自己的情緒時，都會惹惱冷漠毒舌的母親。莉亞漸漸相信人與人互動的最好辦法，就是隱藏自己的情感需求，讓自己「討人喜歡」。從那時候起，莉亞就隱藏著自己的感覺，扮演別人會喜歡的角色。

莉亞童年時期不斷試著獨立，她常自問：「要怎樣做才夠？怎麼樣才會覺得有安全感？」但她從沒想過，這不是孩子能回答的，只有懂得關心孩子內心的父母，才能讓她覺得——做自己就好。

情感缺失父母，只能提供敷衍的支持

另一種忽視，就是情感缺失父母給予敷衍的支持，而這對害怕的孩子完全沒有用。有位女士憶述小時候害怕時，只知道得自己挺過去。我問她是否記得有人幫助她度過害怕的情緒，她說：「我從沒想過別人可以幫我。如果當下有人表示他理解我的感受就好了，可惜我從來沒有那種感覺。我不記得當我害怕時，有人曾經幫過我，他們只會說『不會有事的』、『沒什麼好怕的，很快就沒事了』這些無關緊要的話。」

過於獨立的內求型人格

受到情感忽視的人會以為提早獨立是種美德，但是許多曾經在童年遭遇情感忽視的人，並不明白這樣的獨立是被迫，而不是選擇。有些個案形容：「我一直都是自己照顧自己。」「我什麼都自己處理，不喜歡靠別人。」「不能靠別人幫忙、不能讓別人看到你的軟弱。」可惜，這些獨立的孩子，學不會在生命中需要幫助時開口，常常要透過心理治療師或是諮商師的引導，讓他們接受其實每個人都需要幫忙。

內求型人格會認為受虐是正常的

發生問題的時候，內求型都認為原因出在自己身上，因此受虐了也不知道。父母若不告訴孩子哪些是施虐行為，孩子就不知道如何分辨。甚至長大後，很多人也不曉得小時候遭受的其實是虐待，於是在兩性關係中，受虐時也無法辨認。

讓我們來看幾個案例：薇薇安不太願意談論丈夫的火爆脾氣，總說不值得一提。後來才怯懦的告訴我，丈夫生氣時會砸東西，有一次甚至把她的手工作品丟到地上，因為他嫌薇薇安沒有保持房子整齊。後來薇薇安才不好意思說，她怕我也認為丈夫的行為是正常的，會指責她小題大作。

另一位中年男性個案淡淡的提及小時候的受虐事件，完全不覺得這很嚴重。例如，他曾經被父親掐脖子到尿失禁，還被鎖在地下室。甚至在回憶起父親摔音響的行為時，他說：「父親可能在發脾氣吧。」把這些事情說得如此淡然，顯示他打心底認為這些行為是正常的。

在關係中，內求型人格會負起維繫感情的工作

內求型常是維繫家庭情感的人。我們在第三章介紹過，情感工作包括運用同理心、遠見、自我控制，來培養關係並且與他人融洽相處。在健全的家庭裡，父母負責維繫和孩子的情感，倘若父母做不來，內求型孩子通常會跳出來代理親職。諸如在爸媽身陷危機時照顧弟弟妹妹，或是關心每個人的情緒、看看誰需要被安撫等等，而這些都遠超過他們的責任範圍。

內求型人格經常擔起家中的情感聯繫

當父母陷入憂鬱或情感匱乏時，內求型孩子經常擔負起樂天爽朗、輕鬆愉快的角

色，想把歡欣活力帶進氣氛陰鬱的家裡，用活潑和幽默感緩和氣氛。有位個案如此形容：「我總是笑口常開。例如過節的時候，我總是開口說：『我們來布置吧！』的那個人；否則，家人就像一盤散沙、個個無精打采。現在我明白，自己在尋找一種情感連結。」這位個案做了很多維繫感情的工作，想用興奮感染全家人，就連必須獨自為家人注入節日氣氛也在所不惜。

內求型人格經常被迫扛起父母該做的情感支持工作

情感缺失父母會避開情感連結工作，當然也就不會去處理孩子的情緒、注意力問題，或是在學校遇到什麼困難，完全讓孩子獨自摸索。當孩子需要情感上的支持時，這類父母更幫不上忙，比方受到同儕排擠、感覺受傷時，父母不但不去了解孩子的處境，反而以輕蔑態度敷衍。最後，孩子會知道父母不會從感情面著手，幫他們撫平受傷的心情。

內求型孩子細膩敏感的天性，促使他們代替父母扛起維繫情感的工作。有時甚至要扮成父母的爸媽，像是傾聽、提供安全感，甚或是給予建議。這些孩子在健全發展之前，就被迫擔負情感支持的角色。更糟的是，有時父母會把痛苦的感情問題丟給孩子，又拒絕接受孩子提供的建議。這種角色錯置的情形會延續到孩子成年，不僅沒有任何好處，也讓孩子承擔太重的情感責任。

案例31

吃力不討好的凱蒂絲

從小到大，凱蒂絲被長年感情不順的母親當成訴苦的對象。我問她，怎麼會開始扮演起這麼吃力不討好的角色，她說：「我的情緒比較穩定，也習慣自己處理問題，不靠她幫忙。在我們兩個之間，她更需要我的支持。母親一直覺得自己不值得被愛、自尊心不足，我只是想幫她找到幸福。」

內求型人格經常在兩性關係中扛太多責任

許多內求型孩子都天真的相信：只要長大，就能帶領另一個人建立美好感情。一位個案談到自己失敗的婚姻，說：「我以為靠自己撐著這段感情就夠了。」內求型習慣提供同理心，在交往中也扛了過多的責任，卻不知道長久下來早已超出負荷，而對方仍然沒有改變。

內求型有時候會在交往中分飾兩角，想要串起鬆脫的環節。明明感情已經名不副實，仍會表現得好像還是兩情相悅，例如他們會謝謝別人的包容與耐性，但他們才是配合的一方；或是不斷的為自我中心的人設想，哪怕對方永遠也不會為他們著想。他們會對所有人付出在家裡想要，卻得不到的體貼與敏感，總把對方想得比實際上好，說服自己相信對方也積極參與。

一位男士向我述說對女友的樂天幻想：「我以為變得這麼棒，她就會被我感動、對我改觀，我一直相信能讓她幸福、讓她愛上我。」他以為自己可以左右女友的感覺。

另一位個案則說，她對朋友付出很多：「我的問題就是總想當個好人、給人方便。但想到自己的需求時，就會擔心別人說我不關心他們或是耍心機，覺得自己必須隨時為他們著想，不然就會變成壞人。」

還有一位女士，在離婚後才發現自己做了很久的情感奴隸：「每次丈夫為了小事大發雷霆時，我沒罵他，反而還安撫他、順著他。我竟然十年來都沒有發現他情感無能！天曉得我費了多少心力，還說服自己：『我們都很努力想改善。』我以為是自己做得不夠好，苦思還有哪裡能改變、還需要做什麼？我知道我們都在掙扎，但卻以為婚姻就是這麼回事。」

為何內求型常遇到不平衡的感情，總是施與受不成比例？其中一個原因就是，外求型會追求溫暖、無私的內求型對象。起先，他們會讓內求型感到自己很特別，以穩固這段感情。一旦得到了對方，就不再付出。內求型雖然對這個轉變感到詫異，但反應常是責怪自己。

內求型人格容易吸引到甩不掉的人

內求型從小就自立自足，情感缺失者會忍不住想要接近他們。而且內求型感知性強、細膩敏感，就連素昧平生的人在慌亂的時候，都會直覺的信任他們。

我的個案瑪蒂妮也說：「別人需要支持和傾聽的時候就會來找我，他們信任我、聽取我的意見，有煩惱時就把我當垃圾筒。我只想成為他們的朋友、支持他們，但卻讓他們對我倒出更多垃圾。這種情況經常發生。」像瑪蒂妮這樣的人，不自覺的會散發出和藹可親、充滿智慧的氣質，這種氣質非常吸引欠缺情感關注者。幸好，瑪蒂妮終於明白，為了自己好，必須有選擇性的分享同理心與博愛。當她不再無限制的付出，就得到更多能量享受自己的生活。

另一位個案也在治療過程中認清自己，她總是不由自主的關心別人，連不認識的人都黏上她。搭電梯，甚至走在路上，都會有人拉著她高談闊論一些沒人有興趣的話題。她總覺得奇怪：「我頭上寫了什麼嗎？」

她覺得不論是否認識對方，都應該表現得溫暖和藹。但事實上，不管是搭飛機也好、搭電梯也好，或只是在排隊時，欠缺情感關注者遇到敏感的人，就如餓虎撲羊般緊抓不放。

內求型人格相信無私能換得愛

許多內求型者潛意識認為：忽視自己才是對的。**自我中心的父母在過度索求兒女的注意與精力時，也同時教導孩子「自我犧牲」是值得的；內求型孩子很看重這個訊息，完全不知道自己的犧牲是不健全的。**有時父母會用信仰教條宣揚自我犧牲，讓孩子因為「有所求」而感到慚愧，原本用來滋養、淨化心靈的信仰，卻被濫用、迫使理想主義型的孩子去照顧他人。

孩子不是天生就知道如何保護自己的身心靈，必須有人教導他們該如何照顧好自己，當大人關心孩子的需求時，就是幫孩子辨別自己是否需要休息、需要同情或需要被尊重。敏感的父母會教導孩子注意並且意識到自己的疲累，而不會因為缺乏休息而焦慮、發懶。

然而，情感缺失父母則太專注於自己，根本沒有注意到孩子不知所措或是過度努力，他們也會利用孩子敏感、關心他人的天性，而不是保護孩子、教他們設底線。若父母沒有教會孩子如何照顧自己，孩子長大後，就不知道如何在自己與他人的需求間取得健康的平衡。這對內求型孩子來說尤其嚴重，因為他們很容易受別人影響，完全專注在幫別人解決問題、忘了自己的需求，也看不見這種情感壓榨的傷害。此外，他們也深信，犧牲更多、更努力付出，才能改變不圓滿的關係，所以愈困難，他們就愈努力。

這似乎很合乎邏輯？記得我們說過，療癒幻想是根據「孩子」的想法形成，內求型者小時候會扮演救世者的角色，覺得有責任幫助他人，甚至不惜犧牲。他們的療癒幻想不外乎「捨我其誰」的劇本，完全不明白自己在挑戰不可能的任務，也就是「去改變完全不想改變的人」。

內求型很難放棄爭取愛，不過有時候他們依舊會領悟到，單靠自己無法扭轉他人對自己的感覺，然後才終於憤恨不平的收回感情。當內求型徹底放棄時，對方還會措手不及，因為長久以來，內求型就是不斷嘗試並付出。

總結

內求型感知性強，對他人的情緒、心理狀況極度敏感，由於對情感連結有強烈需求，生長在情感缺失的家庭中最是痛苦。內求型情感強烈，但怯於打擾別人，所以很容易被情感缺失父母忽略。他們發展出過分關注他人的偽自我，並且幻想可以改變別人對自己的情感和行為。從別人那裡得到一點認可，就能讓他們撐很久，因此他們在感情中付出過多，最後只落得筋疲力竭、悔恨不已。

下一章，我們將會看到當內求型的真實自我甦醒時，還有他們發現自己付出太多時，會發生什麼樣的事情。

Chapter 7 痛苦的症狀，提醒我們誠實面對自己的感受

這一章將介紹，從扮演已久的角色中覺醒會是什麼樣子。這樣的覺醒通常來自於失敗或是失控，當我們有沮喪、焦慮、長期緊張，或睡不著等痛苦的症狀時，都表示「不可能改寫現狀」。這些症狀像是警報系統，提醒我們誠實面對真正的感受。

什麼才是真實的自我？

真實自我的概念，可以追溯到人類開始相信靈魂存在的遠古時代，人們感到內心有另一個純摯的自我，同時又與現實保持距離。內在自我不受家庭壓力所塑造的偽自我影響，具有多種稱呼，像是真我、真實自我、核心自我，都是指存在個人核心、分辨真理的意識。

你可以把真實自我想像成：精確的自我傳遞神經反饋系統，並且朝個體最佳能量與功能前進。**身體知覺告訴我們，不管什麼是真實自我，都是人類生理產生的感覺和直覺，能立刻對他人產生準確印象。**我們可以利用真實自我的能量波動，判斷是否走在適合的生命道路。

追尋真實自我時，能明辨真理、處事更順暢。我們會專注在解決問題，而非受困於問題。只要願意傾聽自己純摯的需求，世間似乎無難事，生命將出現機會和貴人，出其不意的幫助我們，我們就會成為幸運兒。

不斷成長、被了解，以及表達，滿足真實自我的需求

真實自我和健康孩子的需求相同：不斷成長、被了解，以及表達自我。最重要的是，真實自我會不斷促使你擴展視野，彷彿自我實現才是最重要的事。它不在乎童年時期因為療癒幻想或是偽自我所帶來的絕望想法；它要你接受內心的指引，誠摯、真心誠意與他人相處。

如果重要的大人支持，孩子會展現真實自我。然而，受到批評或羞辱，孩子就會對自己真正的想法感到難為情，於是偽裝成父母想要的樣子，以為這樣就能贏得父母的

愛。他們不再讓真實自我發聲，反而聽從偽自我跟療癒幻想的指示，漸漸和內心失去聯繫，也斷絕了外部現實。

練習 2

學會喚醒真實自我

無論是內求型或外求型人格，只要漠不關心內心需求，真實自我就會發出警訊，提醒你認真對待自己、看清現實、好好生活。所以要認清這些徵兆，因為那是拯救生命的警訊，而這個練習會幫你喚醒真實自我。

請準備紙筆，把紙對折，然後在兩邊分別寫下：「真實自我」和「偽自我」。

首先，翻到標示著「真實自我」的那面。接著請堅定、深入且誠實的回想：在開始偽裝成另一個人前，小時候的自己是什麼樣子？在你還不會批評自己前，最喜歡做什麼？如果能做真正的自己，而不必擔心錢的問題，現在的人生會是什麼樣子？

再來，請回想小學四年級前的自己，對什麼感興趣？最喜歡誰，為什麼？空閒時喜歡做什麼？有多喜歡玩？心目中的美好一天是怎麼樣的？什麼會讓你精神一振？把你所能想到的寫在「真實自我」底下，不必按照順序，想到什麼就寫下來。

完成之後，把紙翻到「偽自我」那面。開始想想你心中的大人是什麼樣子？你參與了哪些根本沒興趣的事情？做了哪些覺得能讓自己成為好人的事情？在親密關係中，是否有人讓你筋疲力竭或是覺得有罪惡感？空閒時間，會做自己想做的事嗎？你會怎麼形容自己試圖扮演的社會角色？你希望他人如何看待你？哪些特質是你想要隱藏的？哪些是你很慶幸沒有人知道的？

寫完後請不要立即比對，至少隔天再把紙攤開、比較紙張兩邊。你是以真實自我過日子，還是讓偽自我主宰了你的生活？

先破壞舊有的心理模式，才能覺醒真實的自我

若在療癒幻想和偽自我中獲得的痛苦大過好處時，就會崩潰。多數的心理成長研究會闡明痛苦的真相，而心理治療則會擔任協助者，幫助我們對熟悉的事物更有覺知。當你崩潰時，最該問的問題就是：到底是什麼崩潰了？我們常以為是自我崩潰了，但通常

只是我們否認的真實感情潰決了。**痛苦只是信號，告訴我們再也無法忽略感情，應該面對真實自我了。**

真實自我想要你看清，並停止相信「情感缺失父母知道什麼對你最好」、「別再以為偽自我會比當真正的自己好」，比起讓幻想掌控你的人生，真實自我更清楚你該如何過活。

根據發展心理學家尚．皮亞傑（Jean Piaget）的觀察，為了學習新事物，必須先打破舊有心理模式，才能按照新知識運作。這種內在的崩解和調適過程，是智力發展的關鍵。同樣的，波蘭心理學家卡齊米日．東布羅夫斯基（Kazimierz Dabrowski）也認為，痛苦未必是疾患，而是成長的徵兆。他將心理徵狀視為新啟動的成長欲望，並稱之為「積極分裂」（positive disintegration，也譯為「正向非統整」），形容內心為了重組複雜的多元情感，發生崩潰。

東氏注意到，在這些動盪之後，有些人能夠拓展人格，有些人則會回到原來的樣子。他進而觀察到，缺乏覺察性的人在經歷情緒動盪後比較不會改變。但有些人會趁這個痛苦時期認識自己、用好奇心面對挑戰，並從中學習。他認為這些人具有敦促自己更有能力、更自主的發展潛質。

東氏相信，能夠忍受負面情緒的人多半具有高度發展潛質。他認為，這些情緒所造成的不適，能夠激發有抱負的人找到解決辦法，所以負面情緒可視為人類心理發展的驅力。具有發展潛質的人在面臨困境時，不會關上心門或升起防衛心，他們會更深入了解自己和現實、願意反省、不惜承受自省的痛苦和自我懷疑。雖然過程中會引發沮喪、焦慮或罪惡感，但解決深層問題後，就能建立更堅強的人格。

案例32

想要成長的愛琳

愛琳從東氏的理論中找到認同。幾年的心理治療讓具洞察力、喜愛學習的愛琳獲益良多。她想要更了解自己跟他人，但家人卻把她對心理學的興趣看成是適應不良。

歷經影響一生的婚外情後，愛琳尋求心理治療，但家人認為她太無聊，說她「有問題」；他們不認為愛琳是在痛苦中獲得成長和自我了解，反而覺得何必浪費那麼多錢不斷重提舊事。

愛琳明白自己需要治療，但也擔心是否「真的」是有問題的人。某個層面上她是看得最清楚的：察覺父母的情感缺失、衝動、逃避親密感情。然而最讓她疑惑的是，她是唯一認為自己需要幫助的人。

東氏的積極分裂理論讓愛琳將苦惱視為「生長痛」，在認識東氏的人格成長理論後，她更自豪是家裡唯一想要探索苦惱，找到更健康人生的人。

如何擺脫過時的偽自我？

人們長大後通常仍扮演著童年的偽自我，因為他們相信這樣很安全，而且是被人接納的唯一方法。可是當真實自我再也受不了偽裝時，就會吹起床號，以無法預知的徵狀喚醒人們。

案例33

破除童年咒語的維吉妮亞

喚醒維吉妮亞真實自我的起床號就是突然恐慌發作，當時她正受到專制苛刻的哥哥批評。維吉妮亞隨時都在擔心別人的看法，每場社交活動都像是累死人的三鐵競賽：忙著解讀、避免冒犯到他人、害怕遭受拒絕。連上班也沉迷於：想得知別人如何看她。前來尋求治療的維吉妮亞成功的控制恐慌，也明白小時候多麼不被接納。

經由治療，她了解到哥哥就像過世的父親，總是讓維吉妮亞覺得自己無能、不被愛。她開始了解，社交焦慮是兒時的偽自我反射，她不斷扮演那個偽自我，但從沒贏得倨傲苛刻父親的愛。潛意識裡，她幻想有一天變成受父親肯定的「好孩子」。她下意識扮演起害怕、不夠有能力、無法符合父親期望的孩子，而現在哥哥遞補了父親的位置。

焦慮發作，表示維吉妮亞開始質疑小時候聽從權威人物的信念。她告訴我：「只要有人對我面露不悅，我就會害怕，認為是我不對，尤其是男性。」但現在她看清和哥哥的關係，「我一直把他當偶像、當神，儘管他完全不在乎我，我還是任由他左右自己的感覺。我在乎他的看法，但現在的我比較獨立，覺得自己正在學習如何當一個人。」

若非恐慌發作，維吉妮亞可能還活在尊崇他人、貶抑自己的焦慮裡。她的恐慌症引領意識進入新境界，讓她拒絕從小就被灌輸「男性絕不犯錯」的觀念，也不再讓這個觀念摧毀長大後的女性自尊。當她明瞭可以選擇是否要和哥哥有所接觸，內心那個軟弱又困惑的小女孩就瓦解了。她終於覺知到對父兄的真實感覺，父親與哥哥讓她覺得在家中無足輕重，如今這個咒語消失了。

練習 3

學會從自我毀滅的偽自我中解放

花點時間，找出讓你覺得緊張或渺小的人，並簡短描述這個人的個性。接著，想想你在這個人身旁的表現，然後敘述你的偽自我，看看是否能找出：讓你使出渾身解數得到他接納的療癒幻想是什麼。你花了多少時間期待這個人改變對待你的方式？是否覺得自己扮演著早已不適合、自我輕視的角色？準備好要看見不同的自己了嗎？準備好用你認同別人的方式來認同自己了嗎？

看見你的真實感受、放棄「終將得到愛」的療癒幻想

有時候，放棄「終將得到愛」的療癒幻想，就不得不面對與親近之人有關的感覺。我們會因為不被接納而有罪惡感、覺得丟臉，深信要獲得喜愛就必須壓抑這個感受。若是不斷否認，真實自我就會迫使我們停下來，看看哪裡出錯了。

案例34

不再克制自己只能有「對的感受」的蒂朵

蒂朵太感謝自己無止境的罪惡感了。生於單親家庭，蒂朵的母親凱莎靠幫傭維持家計。為了給女兒更好的生活，她們從瑞典移民到美國，凱莎存錢讓蒂朵受良好教育，蒂朵也非常上進，申請到獎學金攻讀平面設計。然而在蒂朵快要結業時，卻因為重度憂鬱症來找我，儘管還能工作，但每天早晨都非常掙扎，一下床就想立刻鑽回被窩。

為了找出病因，我們電話訪問了凱莎。隨著蒂朵的學業即將完成，凱莎變得愈來愈尖銳、暴躁，總是很情緒化，而且不斷提醒蒂朵：被父親拋棄、來到美國之後，是如何把她拉拔長大的。每次電話訪談，凱莎都會抱怨身體有病痛、誰最近又辜負了她。對於母親憤怒又悲慘的抱怨，蒂朵除了同情，也覺得虧欠，但又愛莫能助，不管如何勸母親都沒用，這些心理負擔壓垮了她。

我問蒂朵，凱莎不接受安慰時，她有什麼感覺。起先，蒂朵只說：無法讓母親好過讓她有罪惡感，在母親受苦時享受人生，自己是個壞女兒。然而當我問她，聽到母親的聲音時有什麼感覺。當蒂朵深刻去感受時，她一臉震驚、小小聲的說：「我不喜歡她。」

這就是蒂朵的情感真相，和兒時「給母親足夠的愛，彌補她悲苦人生」的療癒幻想一直在戰鬥，太多的罪惡感和感恩，阻礙她感受真實情感。這個家一直塑造「凱莎犧牲了自己，所以蒂朵應該對凱莎付出全部關注」。因此當蒂朵開始怨恨母親無止境的抱怨時，自我否認的憤怒，被罪惡感導向了憂鬱。

當蒂朵接受對凱莎的真實情感後，憂鬱便不藥而癒。蒂朵終於接受儘管很感謝母親，卻不喜歡她時，便把自己從無望的牽絆中解放，她明白了自己仍然可以和母親有所接觸，但不必克制自己只能有「對的」感受。

練習 4

察覺你是否有隱藏的情感

當你覺得極度焦慮，或是情緒低落時，都能做這個練習，問問自己是否有隱藏的情緒。當你覺得很糟的時候，想想是否跟某個人有關？依我的經驗來說，最不願意承認的兩種情緒是：害怕某人或不喜歡某人。

若想將壓抑的感覺化為文字，建議在隱密的地方，用最簡單、清楚的句子。如此一來，就無須擔心別人的反應，說出內心最誠實的真相。可以試著用「我不喜歡這個人做／說＿＿＿＿」做為開頭，描述這個人的行為。當你碰觸到真實的感受時，會覺得緊張感消除了，或是身體輕鬆了。別讓罪惡感阻撓你，你是為了發現自我而與自己對話，沒有人會聽見，你是絕對安全的。

有些人覺得，應該要和對方開誠布公。但我並不建議，這會引發過多的焦慮。與真實感受接觸時，過早吐露感覺會讓你被不必要的焦慮淹沒，更別提揭露後受到的壓力。如果真的想要和對方談，以後還有機會，但需要有能力對自己說出真實感受。重點並不是對那個人說出你的感受，而是了解自己的感受。只要承認並大聲說出來，就能有極大的改變，讓你重獲平靜。

我們所恐懼的「憤怒」，其實代表真實自我即將顯現

憤怒是情感缺失父母不惜動用罰則禁止的情緒。但憤怒是有用的情緒，給人改變的能量，並且知道自己值得捍衛。當過度負責、焦慮或憂鬱的人覺知憤怒時，其實是個好

跡象，這表示真實自我即將顯現，開始照顧自己的情緒。

案例35 學會對自己誠實的小潔

小潔因為常對父母生氣而覺得自己很糟。多年以來，她認為最好的方法就是假裝沒有這些感覺，私下也擔心自己貪得無厭、暴躁易怒。

但小潔的憤怒似乎源自感情疏離、輕視她的父母。當小潔開始思考父母的忽視與自己的怒氣和情感需求的關係時，她的想法就改變了：「現在我覺得，要是我不生氣才有問題！有太多事情讓我生氣了，這些怒氣來自真實自我，也是我的權利。我不想再活在謊言裡、我努力和父母建立情感連結卻只換來孤寂與失望，和他們相處反而被孤立。」

接受自己的怒氣後，小潔終於看清自己的療癒幻想：她以為可以用很多的愛來療癒家人，她說：「我以為每個人都是美好的，以為每個人都可以相親相愛。我天真的以為只要對人好就可以與對方建立親密感、父母會愛我、哥哥和姊姊也會關心我！現在我知道要善待自己、對自己誠實：我喜歡跟自己相處，不想再浪費時間。我希望能找到可以信任的人，不會勉強跟疏離、負面的人交心。我會保持友善跟禮貌，但不會走得太近以免失望。」

當我們看清事實，才能善待自己

內求型人格非常不會照顧自己，認為一切要靠自己修復，經常不顧自己的健康、忘了休息。當他們拚命做好每件自認為該負責的事時，常會忽略身體信號，像是疼痛或是疲勞。

案例36

重新定義自我價值的蕾娜

儘管蕾娜已經盡量簡單過日子，但生活還是充滿壓力。她總是覺得時間不夠用，彷彿腦袋裡有個聲音不斷督促，說她還不夠努力。就連彈琴這類愉快活動，都像是跑馬拉松般累人，不到筋疲力竭，絕不休息。

除了拚命工作，照顧他人也占滿了生活，包括她的寵物還有偶爾來院子裡覓食的鳥，甚至連植物枯萎都會讓她自責半天，怪自己沒有早點澆水。

蕾娜想藉由健身課放鬆，但卻為了跟上動作並做得標準而累得半死。課堂中，她告訴自己：「我做得到，這沒什麼困難的。」她很賣力，卻沒發現做踏階動作時腳一度抬不起來，結果隔天醒來，她痛到雙腳無法動彈。

因為媽媽的緣故，蕾娜有長期忽略身體疲累的習慣。小時候，若事情做得不夠快、不夠努力，媽媽就會處罰她，覺得她太過懶散。所以，她從來沒有依照自己的步調，也不了解自己的身體極限。

在追求母親的認可和愛中，蕾娜被訓練成「唯有拚命努力才有價值」，她必須竭盡所能達成任務，就算身心還沒準備好也要全力以赴。童年的療癒幻想就是討媽媽歡心，讓她從永不滿意變成認可這個女兒。

不遺餘力的蕾娜也受到社會價值影響，例如「努力、再努力」、「永不放棄」、「用盡全力」。像蕾娜這樣過度積極的人，這類訊息反而是心靈毒藥。盡全力其實不需要耗盡心力，而是要懂得盡人事聽天命。幸好，蕾娜明白療癒幻想的影響後，能重新設定自我價值、認真對待自我需求。

成年後的戀愛關係，容易觸發過去未被滿足的情感需要

戀愛是覺醒的大好機會。童年痛苦的模式會在成年後的戀愛關係裡重現，也難怪許多人因感情問題來求助。戀愛關係總能激起強烈的情感，也觸發過去未被滿足的情感需求。我們常會把父母間的問題投射在伴侶身上，無意識提醒自己過去的情況，而對伴侶更生氣。

案例37

找到自我價值的麥克

被迫放無薪假加上離婚，讓麥克的人生跌到谷底。在別人眼中，尤其是太太跟母親眼裡，他是人生勝利組。而現在，他接受心理治療，並努力認清自我價值和真實自我的關係。治療過程中，他開始欣賞自己，還有他獨特的能力與才華。

回想過去時，他說：「這三十五年的人生中，我照著別人的期待去做，包括沒有愛的婚姻，結果沒有一件事情成功。也許，我的心裡期望這一切破滅，我被打敗、被羞辱，也快被炒魷魚了，但我告訴妳，我很快樂。」

儘管婚姻失敗、人生無望，麥克終於放下自己的療癒幻想，不再相信錢能帶來愛。離婚所帶來的龐大債務，或許可說是「扮演他人多年，麥克對自己的虧欠」。

麥克了解自己有多想要被別人接納後，說：「我沒想過自己跟別人一樣好。」他看著我，笑了笑，「要怎麼定義成功的人呢？」接著回答，「我想，擺脫『成功』就能看清自己是個『人』了。」

不再「理想化父母」，用更客觀的方式面對他們

最難清醒的療癒幻想就是「相信父母比我們聰明、懂得比我們多」。對孩子來說，看到父母的缺點很難為情，甚至是可怕的，就連長大後也會拒絕承認父母不成熟、能力有限的事實。保持天真確實比較輕鬆，或許我們的潛意識想要拒絕承認父母的弱點。

案例38

懂得客觀看待母親與丈夫的佩西

比起丈夫性格衝動，或是同住母親的壞脾氣，佩西顯然成熟多了。當我說她似乎是家裡最成熟的人時，她畏畏縮縮的抗議說：「哦，我不是。」這種想法對她來說，很不忠誠，也不覺得自己比較好。

雖然謙虛是件好事，但對佩西來說毫無益處。她用謙虛來忽視顯而易見的現實、理想化母親和丈夫、否認自己的能力，對她都沒有幫助。倘若佩西能夠接受自己比母親、丈夫還要成熟的事實，就能更客觀的看待他們。她不再忽視他們欠缺的特質，也能夠設下界線，不再浪費力氣假裝自己沒那麼好、假裝他們比實際上強。

學會欣賞自己的能力

能欣賞自己的能力很重要，不幸的是，情感缺失父母的孩子通常無法欣賞自己的特質，這些專注自我的父母缺少甚至無法反映出孩子的才能。因此，這些孩子通常會對自己的才能感到難為情、習慣把別人放在聚光燈下、擔心承認自己有才能就是驕傲。

然而，知道並運用自己的才能很重要，如此才能產生自我認同，並對世界有所奉獻而感到驕傲，也因此產生能量與正向態度。謙遜、虛心能讓你正確看待事物，但不該妨礙你認識自己的能力。

從心理治療，學會建立新的價值觀

家庭心理醫生兼社會工作者麥可．懷特（Michael White）發展出一套心理治療方式——「敘事治療」（narrative therapy）：覺知生活裡的故事線，找出隱含意義及意圖。在挖掘個案的人生故事時，治療師負責揭露常被忽略的價值，然後邀請個案更新生活指導原則、選擇新的價值觀。

案例39

開始爭取自己權益的艾隆

艾隆強壯而沉默，但秉持不要強出頭的原則。在成長過程中，艾隆曾經愛上演戲，但從來沒有爭取過任何角色，或要求更多的戲份。他覺得那樣做會顯得要求太多，是弱者的表現。

長大後，艾隆發現不爭取就會屈居下位，別人常利用他的才華，卻從沒給予回報。他發現被權威人士主動肯定的幻想不會成真，所以決定要建立新的價值觀，追求他想要的。他開始找機會並且爭取自身權利，在考慮換工作時，他說：「我以前不願意這麼做，但現在不同了。」他終於知道要捍衛、投資自己。

面對並處理痛苦的內在與情緒，才能擺脫童年的情感傷害

擺脫童年的情感傷害，最有效的方法是從過去的噩夢中覺醒。我所說的「解決」，就是開始面對並處理痛苦的內在與情緒，就像把大到難以下嚥的東西咬碎、咀嚼直到消化。

研究顯示，唯有消化才會發覺。研究也發現，**為孩子創造出安全依附的父母，通常具備回想、談論孩提時代的意願。就算有困苦的童年，也還是能與孩子有安全的依附關**

係。他們會花時間重整童年的經驗，對好或壞的過去都能處之泰然。

這些父母不會逃避現實，也會處理好自己的過去，所以不難想像他們能全心與孩子交流，並建立安全的依附關係。

總結

就算表面上再努力或有再多療癒幻想，真實自我仍然會找到方法表達。若長期忽視真實自我，就可能發展出心理病徵。覺醒真實自我的需求時，起初會有崩潰的感受，而恐慌、憤怒，和憂鬱則是情感覺醒的信號，表示要開始照顧自己、建立健全價值觀。處理自己的童年問題，並覺知自己的能力，如此就能獲得自信，開始用真實自我生活。

下一章，我們將探討可以如何使用新的客觀性和自覺，以新的方法與情感缺失家人互動。

Chapter 8

學會不再乞求父母無法給予的愛

小時候，我們相信爸媽無所不能，儘管青少年時期和成年後會削弱父母是全能的想法，但無法完全根除。就算他們缺乏愛的能力，我們還是會滿懷希望的認為，只要他們願意，就能愛我們。我們被灌輸的文明教條，也讓我們無法看清父母，例如：

- 父母都愛他們的孩子。
- 你能信任父母。
- 父母會永遠支持你。
- 什麼事都可以告訴父母。
- 無論如何，父母都會愛你。
- 家永遠是你的避風港。
- 父母只想給你最好的。

- 父母知道的比你多。
- 天下無不是的父母。

但，若父母情感缺失，這些說法就未必是真的。

這一章將會透過理解自己的兒時期望和文化道德，讓你更準確的看待父母。你將學會與他們相處的新方法、不再指望得到他們無法提供的，也會用客觀且他們能接受的方式接近父母，同時保護自己的情感與個體性。但先來看看，與父母相處時的常見幻想。

孩子共同的療癒幻想——以為父母終會愛他們、關心他們

情感缺失父母的孩子，普遍有個共同的療癒幻想，就是「父母終會愛他們、關心他們」。可惜，專注自我的父母拒絕滿足孩子的療癒故事，只專注於自己的療癒幻想，並且希望孩子能彌補自己的童年傷痛。

為了得到父母的愛，許多人像是飢餓的鳥兒在父母身後不斷撞擊，想要得到正面回應的碎屑。長大後，孩子會用各式各樣的溝通技巧，希望改善和父母的關係，以為最終可以與父母進行有益的互動。

案例40

想得到母親認同的安妮

安妮的母親是虔誠的教徒，但對情感非常不敏感。小時候，安妮有時候會被體罰或情緒虐待。某次，在公司表揚安妮的儀式上，母親卻當著同事的面說了有損安妮的話，讓她非常難堪、深受傷害，差點爆發情緒。母親對她的侮辱實在太明顯，不管是用意或時機都非常不合宜。安妮認為，這次母親絕對無法否認這是粗魯且不當的言論，結果母親還是不肯承認，冷冷的否認。

之後幾天，安妮寫了一封信想讓母親了解她有多受傷，告訴她心裡的感受，希望能坐下談談。安妮用心寫下充滿感情的信，期盼母親能懂，並對多年來的行為感到抱歉。但母親完全沒有回應，安妮也覺得母親完全不在乎，兩人之間只剩空虛。

「我好想對她說：『我是妳女兒啊！』」安妮哭了，「殺人兇手就算殺了人，他們的媽媽還是愛他們；我們是家人，她是我媽媽，她怎能就這樣不管？」

這不是安妮第一次與母親溝通。開始治療後，安妮也試著在父母不尊重她的時候，用正面的態度表達自己的立場、解決事情。雖然母親依舊不理安妮的喊話，但為了能見到三個小外孫，她還是會保持聯絡。不過，這次可不同了。

「我無法釋懷的是她完全沒有回應，連生氣都沒有，」安妮說，「我只想要她表示她在乎我，哪怕要激怒她。」

除了受傷，安妮也很困惑。她知道母親擅於社交，也能對他人展現友好和關心，儘管知道這是表面工夫，但母親直接拒絕溝通仍讓她痛苦。「我仍然期待母親會有所表示，甚至是透過父親來改善我們之間的問題。」安妮的臉上布滿哀傷和不解。

母親無法提供情感支持讓安妮悲痛不已，而解決這個問題需要時間。但是，安妮也察覺到愈努力，只會讓事情更糟。安妮很迷惘，她幾乎用盡所有的方法——清楚的溝通、誠懇尊重的要求、在情感上坦誠。她想知道若不能說，還能用什麼辦法解決。

「安妮，」我說，「嘗試和母親交心是對的，妳期盼和她建立親密感情也沒錯，但我不認為她能夠接受。雖然對妳來說只是和她溝通，但看在她眼裡，卻是破壞平衡的威脅。畢竟她已經這樣過了大半輩子，無法處理妳率真的情感和坦誠。妳可以想像妳的母親害怕蛇，而妳卻一直出其不意的把肥大蠕動的蛇丟到她腿上。無論這對妳的意義有多大，她都無法承受。」要達到某個成熟度才能有情感親密，安妮的母親沒有，而沉默卻讓安妮感覺自己像是感情囚犯，不看到母親為她高興就無法停止。

我告訴安妮，想要母親改變，唯一方法就是不要再提母親做錯的、傷人的事。安妮必須找到「不需要母親參與」的方法往前邁進，這才是與害怕親密感情父母交流的唯一方式。我向安妮解釋，她可以和母親有情感連結，但未必是她渴求的那一種。她應該處理兩個人間的互動模式，而不是尋求情感的親密度。

安妮接受我的建議，但還是覺得困惑。她記得小時候，母親去看同樣冷漠的外婆時有多痛苦。母親也覺得不被疼愛，每次看完外婆後都落得獨自哭泣，只有安妮會安慰她。「但她怎麼會這樣？」安妮問，「我以為她受了這麼多苦，絕不會用同樣方式對待自己的女兒。」這很有道理，可是安妮的母親只是徹底忘記傷痛，就像大多數壓抑兒時傷痛的人。

安妮熱切的想要贏得母親的認可，因此在關係中，她停止評估，也從來沒問過自己：跟母親這樣類型的人在一起，她快樂嗎？

如何與情感缺失父母培養新關係？

接下來，我們會解釋該如何透過「改變你的期望」，並且「以觀察代替反應」，與情感缺失父母（或是其他人）相處。下列三個重要方法能幫助你從父母情感缺失的泥淖中解救出來：不帶感情的觀察、情感健全度覺知法、走出過去的偽自我。

不帶感情的觀察：避免受到傷害或是被情緒綑綁

若要情感自由，第一步就是評估父母是否情感缺失。若你還在讀這本書，就表示父母中至少一人符合，他們可能永遠無法實現你小時候「充滿愛的父母」的想像。你無法贏得父母的心，但是可以救自己。唯一的方法就是發自真實自我的行動，而不是聽從想討父母歡心的偽自我。

這個原理來自家庭心理醫師墨瑞・包恩（Murray Bowen）的「家族系統理論」（family systems theory），該理論陳述了情感缺失父母如何助長情感糾葛、抑制個人統合。請注意，這種情感糾葛發生在父母不尊重彼此界線、將自己未解決的問題投射在孩子身上，且過於涉入孩子的事務。若家庭被情感缺失者主宰，為了維持家中「關係密切」，便會推崇情感糾葛與角色扮演。這個家中看不見真摯交流和親密感情，所有人的真實自我都被隱藏。此外，在情感糾葛的家庭裡，若是和家人發生問題，你會找第三者說，而不是直接找當事人。包恩稱這種三角關係和特殊情感糾葛為「凝聚這種家庭的黏著劑」。

包恩也探討了如何修復，或救治某些成員。**他發現觀察和不帶感情，能夠抽離家族系統、找到立足點。當我們客觀的觀察，就不會受到傷害或是被情緒綑綁。**

❶ 如何轉換成觀察模式

與情感缺失者互動時，若能冷靜、客觀思考，而不是從感情、情緒處理，你會比較有自信。先把自己穩定下來，進入觀察者的角度、切斷情緒，例如：慢慢數呼吸、依序的繃緊然後放鬆肌肉群、想像讓你平靜的意象。

接著維持情緒分離，像科學家般理性觀察他人，假裝在進行人類學調查：你會用什麼字眼描述他們的表情？對方的肢體語言表達了什麼？他們的聲音是平靜還是高亢？他們看起來是固執還是包容？當你試著進行連結時，他們有何反應？自己有什麼感覺？你能找出哪些第二、三章提過的情感缺失行為？

觀察父母或是另一半時，若變得激動、感到憂傷苦惱，那就表示你的療癒幻想被啟動了，此時你會掉回過去的信念——覺得要是他們不承認你，就完蛋了。一旦陷入「能改變對方」的幻想，就會變得軟弱、容易受傷害、憂慮恐懼且依賴。這種讓人極度不舒服的虛弱感是個信號，提醒你該脫離情感回應、回到觀察模式。

若發現自己有上述這樣的反應，在心中默唸：「切斷、切斷、切斷。」特別注意要有意識的用詞語描述對方——不過只需要默默告訴自己。若互動關係緊張，在腦中敘述可以讓你集中，當你在找形容詞時，有助於將大腦能量從情緒反應導向他處，同樣也能控制你的情感。默默敘述你的情緒，可以有多一點的客觀性來恢復平靜。

若對方仍纏著你不放，就找藉口離開現場，藉由上廁所離開房間、跟寵物玩、散散步，或是出門跑腿、看看窗外風景。若是透過電話互動，找個藉口結束通話，別忘了說期待下次再聊。想辦法爭取時間，用不帶情緒的觀察模式回覆。

保持觀察模式並不消極，更是脫離情感糾葛的捷徑。進行觀察時，你會變得更堅強、對自己的真知灼見更有自信，加上認識不健全的情感，你不再需要變成那個生氣難過、無助、受父母肆意抨擊蹂躪而心力交瘁的小孩。無論對方做什麼，清明的心智和觀察會讓你保持堅強。

❷從情感交流，轉為有限度的接觸

觀察能讓你和父母或是和你所愛的愛人保持接觸，卻不會陷入他們的情緒手段和你虛無的期待。**接觸和交流不同，接觸包含溝通，但不具滿足情感目的，你們仍然保持聯絡，依照需要，在你接受的限度內互動。**

至於兩性交往，投入真摯的情感就必須有坦然開放、建立互動的感情。若和情感缺失者交往會感到挫折、不被認可，一旦從這樣的人身上尋找情感寄託，內心就會失去平衡。更理想的方式是把這個目標對象設定在「單純的接觸」，把你的交往渴望留給能回饋的人吧！

情感健全度覺知法：讓我們更容易理解並預測對方的反應

當你掌握前面所說的觀察法，就可以把注意力轉向「情感健全度覺知法」。藉由衡量他人的情感健全度，讓你脫離痛苦的感情，讓情感自由。不論何種互動，評估對方的情感健全度才能保護自己，了解對方的情感狀況，將更容易理解並預測對方的回應。

若確定對方如同第二、三章所寫，有情感缺失的情況，用下列三種方式和對方接觸，就不會讓自己失望：

1. 表達然後放下。
2. 專注在結果，而不是情感交流。
3. 處理，而不參與。

❶ 表達然後放下

平靜且客觀的說你想說的話，但是不要試圖控制結果。明確的表達自己的感受以及期待，並且享受自我表達，然而不要期待對方願意聽或是改變，因為你無法勉強別人同理或是了解你的感受。重要的是透過清楚且真誠的溝通，讓自己感到舒暢。對方不一定會按照你希望的方式來回應，但這並不重要，重要的是你平靜且清楚的表達了自己真實的想法與感受，這才是實際且你能控制的目標。

❷ 專注在結果，而不是情感交流

捫心自問，在這段互動中，你想要得到什麼？你想要父母傾聽你？了解你？後悔所作所為？向你道歉？補償你？

倘若你的目標是父母學會同理或改變，最好就此打住，另找一個明確且能達到的目標。**記住，你不能指望不成熟、恐懼情感的人變成另一個樣子，但是你可以為這段互動設定目標。**

確認每次互動中你想要的結果，然後將它設為目標，例如「就算緊張也要向母親表達自我」、「告訴父母今年不回家過年」、「要求父親和氣的與我的孩子說話」，甚至僅僅表達自己的感受。這樣的目標是可實現的，因為你可以要求對方聽你說話，但不需要他們理解。或者，你的目標可以簡單到像是「全家達成共識決定到哪裡吃年夜飯」。關鍵就在進行互動時，都要想清楚你要的結果。

再次強調：專注在結果，而不是交流。一旦專注在雙方的情感交流、想改善或改變感情關係，互動就會惡化，這個人會在感情上退縮、想要控制你來擺脫自身焦慮。若是專注在特定問題或是結果，反而可能接觸到這個人成熟的一面。

當然，面對具有同理能力的人，提出雙方間的情感問題並尋求解決方法是健康的。情感健全者可以坦誠談論自己的感覺，也會分享感覺和想法，只要雙方情感夠健全，這種明確、親密的溝通就能更認識對方、得到滋養。

❸處理，而不參與

與其和情感缺失者談感情，不如設定互動目標，包括時間和主題。或許你得不斷引導對話，朝你想要的目標進行，以四兩撥千斤的方式避開對方改變話題，或是逗弄你的情緒圈套。互動時請記得保持風度，並做好心理準備，問題可能需要重提很多很多次，直到獲得清楚的回答。堅持不懈的提問讓情感缺失者無力招架，分散注意力或逃避的企圖心終會瓦解。不過在觀察對方和敘述自己的感覺時，也要處理好自己的情緒。

❹有關「情感健全度覺知法」常見的疑慮

初次聽見這個方法，加上評估對象是父母，多少會有些疑慮。以下是常見的疑慮，讓我一一回答你的問題：

Q：聽起來，與父母相處時用這個方法相當冷酷也無法獲得什麼好處。我不想跟他們在一起時還得無時無刻的動腦筋。

A：如果你很享受和父母的相處，就沒有必要使用這個方法。若你變得情緒化、生氣或失望，最好切換到客觀觀察模式。你並不冷酷，只是幫自己維持平衡。

Q：若情感上和父母保持距離，我會覺得有罪惡感，也覺得自己在欺騙他們，我想要自在的和父母相處。

A：客觀觀察並非不坦率或是欺騙，只是避免捲入情緒漩渦惡化大局，也避免糟糕的結果。身為成年人，要能夠獨立思考，就連與他人互動時也要如此，具有明確的自覺不等於不忠。

Q：和父母相處時不帶情緒雖然好，但你沒看過我父母有多誇張、多會操弄人！我對他們的反應不知所措。

A：我們都會因為另一個人的情緒而不知所措，這稱為情緒傳染。若把重點放在觀察，就會比較有安全感，而不會被颱風尾掃到！若自己有一點點改變，都能從「感同身受對方苦惱」的壓力中抽離，因為那是他們的苦惱，不是你的。這樣做就算有一點感受，也不會像他們一樣痛苦。

Q：父母對我很好，他們負擔我的學費還借我錢，若覺得他們情感缺失，感覺是大不敬。

A：感覺、想法並沒有對錯；真誠的面對自己認為父母有情感上的缺陷並不是大不敬。要成為情感健全的成人，要能在心底自由觀察、評估他人，有自己的意見不代表不忠。

父母給了你一切，你可以感激並尊重，但無須假裝他們沒有人性缺陷。如同我們在第二章所談到的，滿足孩子生理上的需求並不等於滿足了情感需求。例如：當你需要有人傾聽（最基本的情感交流）時，提供金錢或是良好的教育或許可以轉移你對這個需求的注意力，但是從不可能滿足它。

Q：當父母讓我有罪惡感的時候，我怎麼能保持平靜、繼續觀察呢？

A：罪惡感並不是不好。要保持平靜可以藉由專注在吸氣、吐氣，讓自己集中觀察正在發生的一切，並默默的用確切的字眼敘述。在心裡描述能幫你從大腦的情緒中樞轉移到較為客觀、邏輯的區域。另一個方法就是數一數：父母發作了幾秒？可以看著時鐘決定你還願意聽多久，等時間一到，有禮貌的打斷，說你有事要忙，很快就得離開或是掛電話，然後切斷互動。你也可以告訴自己：「是他們想把自己的感覺強加於我，我沒有做錯任何事，可以有我自己的想法。」試著提醒自己，父母就像鬧脾氣的孩子，只是想要分散注意。只要平心靜氣，把注意力放在想要的結果上、不要被惹惱，不快的情緒很快就會過去。

Q：平靜的時候，我可以實行這些技巧，但當父母批評我的時候，一切都飛到九霄雲外。我就像超級盃裡的足球選手一樣緊張，要怎麼平靜的觀察並處理呢？

A：超級盃的足球員也許很緊張，但他也盡力保持鎮定，運動心理學有很大一部分就是學習在壓力下如何放鬆。你的目標就是練習專注在想要的結果上，讓自己不緊張。這不是在打超級盃，你也不是在努力爭取任何東西，所以無須緊張。你不需要引導父母說什麼也無關輸贏，只是不要被父母情緒傳染。

Q：我很擔心我的父母，他們總是不高興，我只想讓他們快樂點。

A：辦不到的。你可曾發現：無論做什麼，父母都不會開心多久？他們抱怨，但不代表他們想要讓心情變好，因為這只是你的想法。你可以好好對待他們，但不需要為了他們犧牲自己。在他們的療癒幻想和偽自我中，可能需要受很多苦還有不停埋怨。你不該放棄自己的人生推他們前進，一旦如此，他們可能變得更難搞而且更不快樂。

案例41

從情感健全度覺知法找回自我的安妮

忍受母親數個月的沉默後，安妮試了情感健全度覺知法：她邀請父母去看孩子的足球賽，認為那是她可以保持客觀、控制情緒的時機。在這個場合會面不需要戲劇化，只需要跟父母接觸，是她想要的結果。安妮不需要敞開心房和母親互動，而是保持在客觀的觀察模式，讓互動愉悅，也不指望從母親那裡得到溫暖。她的父母像平常一樣姍姍來遲，安妮和氣的打招呼，說：「很高興你們能來。」

安妮給了母親一個小小的擁抱，接著請她吃點心。母親看起來不太高興、有點情緒化，她又想把自己變成互動焦點了。不過安妮告訴我：「我不在意也沒助長她。」安妮能夠放掉和母親建立親密感的欲望，是因為終於了解母親的情緒只是針對她自己，並沒有想要跟安妮互動的欲望。的確，母親在球賽過程中幾乎沒有跟安妮說話。

當他們要離開球場的時候，母親開始哽咽，但仍然不和安妮交談。安妮已經做好心理準備，不讓自己被激怒，而是單純觀察母親如何避免溝通，如何表現得像是受傷的那一方。

事後，安妮為這次經驗做了總結：「我終於知道母親是什麼樣的人了，她的個性就是這樣，跟我沒有關係。我很高興自己沒跳入『她是受害者』的劇碼裡，我很高興自己能夠區分她的行為和我的自我價值。」

母親生日時，安妮打了電話還留了幾通訊息，不過她沒邀請母親來家裡。安妮覺得這麼做感覺不錯，自己的情感面也能接受。母親沒回電，安妮也不再認為是自己的問題。

幾天後，安妮終於和母親通上電話，安妮問：「我很意外沒有收到妳的回覆，妳沒收到我的留言嗎？」母親只是冷淡而簡短的回應，話中沒有感謝，也沒有任何溫度，於是安妮決定結束談話，說：「媽，我們改天再聚聚，妳再打給我吧？我們再來安排時間。」

那次對話結束，安妮覺得在情感上更加自由了，她不再因母親的拒絕患得患失，她以同是成人的身分和母親進行連結，而不再扮演過去的偽自我——幻想敞開心房的小女孩，總有一天得到難伺候母親的愛。

之後的晤談中，她說：「我不再覺得自己做錯了什麼事，很遺憾這個重要也掙扎的關係無法有完美的解答。但母親不回應並不是在批評我，而是她無法忍受與我親近。儘管我的溫情會讓她離得遠遠的，但我關不掉，也不想關上自己的溫情。」

走出過去的偽自我：退一步觀察，學會脫離舊有的模式

退一步觀察父母和自己的偽自我，是情感獲得自由的第一步。當你看見自己如何卡在偽自我裡、試著實現療癒幻想，就會決定改變。

案例42 學會正視情感缺失母親行為的若雪

若雪的母親要求很高，希望若雪唯命是從，若雪說：「我曾經以為，除非我媽改變

並且認可我，不然我就過不去。」當若雪決定觀察母親，不願再被傷害後，她感到深刻的改變，「正視她的行為後，就不會像以前那樣覺得『必須』讓她認同我，最後感到生氣或失望。」

若雪努力認同對自己、對母親的真摯感覺，不再覺得必須扮演某個角色，也就是：對母親投注所有關心來實現母親的療癒幻想。「我不再覺得自己被迫扮演好女兒，我不用攬下她的問題。」

現在若雪只在「想跟母親聯絡」時才打電話，而且能自在的拒絕母親的要求。若雪不再扮演順從的女兒，在母親身邊更自在也更放鬆了。

❶ 互動時，掌握自己的心智和感覺

與情感缺失者互動時，要掌握自己的心智和感覺。為了達到此目的，必須保持觀察，留意自己的感覺還有別人的行為。如此一來，就能保有個人觀點，並對別人的情緒傳染免疫。

和父母互動時，把心思放在你想要的結果，能保持在客觀、觀察的立場，不受對方影響。也能幫助你留在思考腦，而不會掉進情緒，或陷入「戰、逃、僵住不動」中。專注在你的互動目標上，能在偽自我和療癒幻想糾纏你時，堅持真實自我。

❷ 謹慎面對父母出現新的坦誠

心理學家墨瑞．包恩指出，當孩子變成獨立個體時，情感缺失父母的直覺就是迫使孩子掉回情感糾葛的模式。若孩子沒有上鉤，就會開始用更真摯的方式連結。

在進行觀察與目標導向時，若父母出現前所未見的坦率就要提高警覺。例如尊重你或是對你敞開心懷，你可能會倒回過去的療癒幻想中（他們終於給我我想要的了）。注意！**你的內在小孩永遠都在期盼父母改變、給予你所渴望的，但你要做的是維持自己的觀點，並且持續以獨立的成人立場和他們連結。**你要尋求的是與父母間的成熟關係，而不是回到親子模式，不是嗎？

若是掉進過去的童年期望，再次失去情感間的主控權，父母的坦率可能會立刻蒸發。要記住，父母因情感恐懼無法忍受親密感。如果你變得坦率，他們就會想讓你失去平衡、回到他們的掌控中，因為這是他們保護自己不受親密感影響的方法。最終，所有情況回歸從前。

「父母對你的情感」和「你有多需要他們」是成反比的，唯有以成年人的客觀心智運作，與父母間的互動才能讓你自在。不幸的是，他們太害怕，無法招架你的內在小孩的情感需求。

互動的時候，只要持續觀察當下，遵循真實內心的指示，真實自我會知道所有的人與事，並給出回應。這只有在你居於客觀、警醒狀態時才會展現，而這些正是你的獨立自我所展現的。

總結

早年對父母的依賴使我們尋求他們的愛與關懷，然而，若不想在成年後的關係中重蹈覆轍，就必須步出童年時的偽自我。情感健全度覺知法能幫助你更有效的面對情感缺失父母，或任何難搞、自我中心的人。若以中立的方式與父母接觸，而不是情感交流，就會得到比較好的互動。首先，你必須衡量父母的情感健全度，在互動中採取觀察者的角度，專注在思考，而不是用情緒回應。然後，可以施行情感健全度覺知法三步驟：表達然後放下；專注在結果，而不是雙方的關係；處理互動，而不用情緒來參與。

下一章，我們要探索如何脫離舊式親子模式，讀下去，你就會知道，終於步出支配你人生的舊模式後，感覺會有多好。

Chapter 9

擺脫痛苦的親子關係，找回真實的自我

這一章，我們將探討：當你不再扮演虛假的角色以迎合情感缺失父母時，生活是什麼樣子；以及當你重新獲得真實自我的情感自由後，新的想法和行動如何幫助你跨越情感孤寂。

哪些家庭模式，會讓我們陷入過去的角色

在正式挖掘你的真實自我前，先來回顧一下，哪些家庭模式會讓人陷在過去的角色裡。

阻撓個體性

若是由情感缺失父母養大，你的童年都處在恐懼感情者身邊、圍繞著他們的焦慮，並且躡手躡腳的活著。這類父母創造出的家庭，是恐懼個體性的大本營。**沒安全感且情感缺失的父母視孩子的個體性為威脅，他們恐懼被排拒或遺棄，也害怕當你能獨立思考後，就會批評他們或是離開。**對他們來說，若是所有家人都能像幻想中般好掌控，而不是真實的個體，會覺得安全許多。

孩子真誠的自我表達，對害怕真實情感以及被排拒的父母來說，是具有個體性的恐怖證明。這類父母也害怕孩子表達真摯的情感，因為這會讓互動變得無法預測，似乎會威脅到家族的凝聚力。因此為了防止爸媽焦慮，孩子常常會壓抑可能會擾亂父母安全感的思想、感覺或是想望。

否定個人需求和喜好

因為自我焦慮而嚴格控制子女的父母，不只教導孩子該怎麼做，也常會教他們該如何感覺和思考。如果孩子屬於內求型人格，就會牢牢記在心上，然後相信自己獨特的內在感受是不合理的。這類父母教導孩子：跟父母想法不一樣是極為羞恥的。如此一來，孩子會認為自己的獨特性和能力是異常，且不被愛的。在這樣的家庭裡，內求型孩子會對下列正常行為感到羞恥：

- 熱忱。
- 自發性。
- 對受傷、損失或改變傷心難過。
- 強烈的情感。
- 說出真實的感覺和想法。
- 在遭遇不當對待或輕忽時表現出憤怒。

另一方面，他們被教會下列這些事是可被接受，甚或是有魅力的：

- 服從權威。
- 生病或受傷可以讓父母更有掌控力。
- 不確定、易變和自我懷疑。
- 與父母的喜好相同。
- 因不完美或是與他人不同而感到羞愧或有罪惡感。
- 願意傾聽，尤其是父母的痛苦及抱怨。

- 刻板的性別角色，典型的如：女生就該取悅別人，男生就應該堅強。

當內求型孩子遇上情感缺失父母，反而學會自我打擊，這裡列出情節重大者：

- 優先考慮別人要你做的事。
- 不能為自己說話。
- 不能要求幫助。
- 不能有所要求。

對於被這類型父母養育的內求型孩子來說，「美德」意味著盡量把自己抹去，先滿足父母的需求；自己的感覺和需求不重要，甚至是可恥的。然而，一旦發現這種心態是扭曲的，他們也能夠很快改變。

個案凱洛琳以前的療癒幻想是：只要卑躬屈從，把媽媽視為生命中的主角，媽媽總有一天會欣賞她。但在治療時，她領悟到：「我的家族角色是虛假的，在別人的生命之書中，我甚至沒有戲份。但我可以離開那一頁，我不想再活在那本書裡了。」

忠於內化父母的聲音

你可能會好奇，父母是怎麼訓練孩子反抗自己的本能跟積極的衝動呢？答案是：透過內化父母的意見。小時候，我們吸收父母的意見和信念，將批評化為內在聲音。這些聲音通常會說：「你應該……」「你最好……」或是「你得……」但可能都在批評你的價值、智能或是品格。

儘管這些批評似乎是自己內心的聲音，但其實都是早年照顧者的回音。若有興趣，可以深入了解《戰勝你的內在批評》（*Conquer Your Critical Inner Voice*），這本書能幫助你辨認內在聲音的來源，還有如何不受那些聲音的負面影響。

每個人都會內化父母的意見，畢竟我們就是這樣社會化的。有些人內化到的是支持、友善、有建設性的，但更多人則內化到憤恨、挑剔或是輕蔑。這些堅定的負面訊息，造成的傷害比真實的父母還要大。因此，當你感覺自己很糟時，打斷這些聲音才能將自我價值與這些苛刻評價分開。首要目標就是認清哪些聲音是外來的，而不是發自真實自我。我們可以利用第八章所提的情感健全度覺知法，去發掘：這些隱藏在你內心的負面聲音，只是你用來跟父母連結的方式。

若能更客觀對待情感缺失父母，就能重新評估這些內在聲音，從不良影響中解放。

你要做的只是跟真實的父母相處時，特別觀察這些內在聲音是如何跟你說話。你可以對每個聲音有所保留，但不要全信，然後理性決定要不要繼續聽。

開始自在的當個不完美的人

內在父母的意見可能源自於掌管語言跟邏輯的左腦，當左腦支配一切時，就會追求完美主義跟最高效率，將批評置於同情之前。若沒有比較自我且直覺的右腦提供平衡，左腦就會列出非黑即白的公式，依你的表現評價你。這個說教的聲音會依照你的過往，告訴你：你是好是壞、是完美還是失敗；而其評判的邏輯，則是情感缺失帶來的固定模式。

案例43

被內在完美父母批評的傑森

傑森是個成功的大學教授兼業餘藝術家，罹患憂鬱症的他受傲慢、好批評的父親跟專注自我的母親撫養長大，他們對傑森一點耐心都沒有。

傑森完美主義的內在父母，隨時隨地都在評論他。無論傑森做什麼，內在的聲音總能說些讓他洩氣的話，若沒有表現如內在聲音要求的完美，他會立刻自我批評、自我厭惡。他也無法分辨哪些事是自己想做的，或都是內在聲音要求的。

幸好，在治療過程中，傑森覺知這些內在聲音和愛挑剔父母的關聯。這些負面的聲音就像他的雙親，挑剔他的所有選擇、不斷危害他的自信心。傑森不再像過去一樣，把這些聲音奉為圭臬，他終於認清這些聲音是父母的分身，也了解了它如何破壞了自己的生活。

當傑森能夠分辨內在聲音後，他想通了，不再相信說他自私、壞、懶惰的聲音，不再勉強自己把事事做到完美。對某件事感到畏懼時，傑森就會停下來問問自己，釐清聲音的來源：「我需要做這件事嗎？是為我自己做的嗎？我的需求和內在聲音的比例如何？」

成年後的傑森大多時間都是邊想著：「可惡，我居然得做這個！」邊完成任務。現在他看到更多選擇，可以問自己：「我非得做這件事嗎？如果是必要的，要如何排進其他計畫中？」他學會先問自己想做什麼、反擊內在聲音、為自己做出選擇。花一點時間思考自己真正要的，就能脫離內在聲音的暴政。

自在的擁有真心的想法和感覺

若孩提時的想法跟感覺讓父母感到不自在，你很快就學會壓抑這些內在體驗。真實感情和想法可能拉開跟照顧者之間的距離，這會讓你覺得危險。你會學到：決定自己好壞的不只是自己的行為，也來自你內心的感受；而在這段過程中，你會不斷加深，甚至到現在都還相信「如果有某些特定的想法與感受，你就是個不好的人」這個荒謬的想法。

然而，**你需要所有內在體驗，但不該感到罪惡或是引以為恥。這只代表你有個想法或感覺，不需要被譴責。**重獲新生的簡單方法，就是讓自己的想法和感覺自然流動，不需要擔心他人的眼光，如此，也能帶來深刻的解脫。

事實上，有想法或感覺是無法控制的，你就是想了、感覺了。這麼說好了，想法和感覺是天性，表達只是工具，天性不會欺瞞你的感覺，你也無權選擇。接受真實的感覺和想法並不會讓你成為壞人，只會讓你成為完整的人，並且夠成熟了解自己的內心。

自在的與情感缺失父母中止接觸

理想情況下，你希望與父母連結時能自由的做自己，而不需要保護自己。但有時會發現必須暫停接觸，以保護自己健全的情感。儘管會激起極大的罪惡感和自我懷疑，但你仍然需要與他們保持距離。比如說，父母在情感上危害到你，也不尊重你的界線，用侵入性的連結衝擊你的自我認同感。當他們拒絕尊重你的底線時，你可能就會想要暫停互動。

有的父母無法自省，就算你反覆解釋，他們仍然無法接受自己的行為有問題。甚至，有些殘酷的父母，對待孩子的方式確實惡毒，並且享受讓孩子痛苦跟挫折。當孩子遇到這樣的父母時，最好的辦法就是暫停接觸他們。只因為有血緣關係，不代表你必須在情感或是社會上被他們束縛。

所幸，不需要與父母有密切關係，你也能從他們的影響中解放。否則，在外地或是父母過世的人，就無法擺脫父母的情感傷害。要確實脫離不健全的角色或關係，始於每個人的內心，而非跟他人的互動或是對抗。

案例44

與母親保持距離的愛莎

二十七歲的愛莎事業成功，在電視台擔任記者，但卻患有憂鬱症並且自信心低落。她的母親艾菈很寵弟弟，但對愛莎卻是苛刻又嚴厲，總說愛莎是問題兒童。愛莎覺得，自己永遠也無法取悅艾菈，但還是努力讓母親感到驕傲。但艾菈仍然叨唸愛莎哪裡做得不完美，經常在別人甚至是愛莎的男友面前嘲笑她。

儘管愛莎抗議過很多遍，但似乎都沒有用。艾菈總是一副無辜樣，還把愛莎的眼淚跟忿怒，當成是「壞孩子欺負媽媽」的證據。愛莎變得對「艾菈貶低式的批評」非常敏感，連吃個晚飯都能以眼淚收場。

當愛莎決定停止跟艾菈接觸，她的壓力顯著降低，也讓愛莎感到前所未有的快樂。她擔心不去看母親會顯得不孝，但也不能否認少了艾菈的感覺有多棒、多有自信，連男友都說她放鬆多了。

幾個月後的晤談中，愛莎帶來了母親寄來的卡片，內容表示想要恢復往來，但對愛莎來說，母親寫下的話只讓她再次確定要保持距離。艾菈只寫了自己的感覺，還有她所做的一切都是出於愛，但是她只想替自己辯護，完全沒有同理愛莎，也沒有承認自己傷人的行為。

也難怪愛莎不再和母親接觸，畢竟她已經多次表達過受傷的心情。想不透的只有艾菈，因為她心裡只有自己是慈母的幻想，完全容不下愛莎的感覺。

自在的設下接觸底線、不過度付出，並且關注自己的真正需求

某些情況下，暫時不接觸父母、讓父母沒有傷害的機會是必要的。其中一個方法就是控制接觸的頻率，透過設下接觸底線，可以讓你投注更多心力照顧自己的需求。當你不再付出和過去一樣多的時間和關注，父母可能會抗議；但是，這些難熬的時刻正是擺脫無名罪惡感的絕佳機會，並且照顧自己的需求。

要記住，若你是內求型，會覺得必須回應所有問題，也認為只要努力，情況（甚至是別人的行為）就能改善。「知其不可為」會是一大解脫，但我們卻經常看見「內求型不斷努力，而外求型也不斷從中獲利」。好壞並不是根據你付出多少來決定，對占盡便宜的人設下底線也絕非自私。你的責任是把自己照顧好，不管他人認為你該付出什麼。

留意無形中被別人消耗的精力，能幫你知道是否付出太多。就算是很小的事，也能做調整，不會為了滿足他人而累死自己。

建議利用第八章的情感健全度覺知法來觀察：要求父母尊重你的界線時，對方有何

反應？留意他們是否會做出讓你感到丟臉或罪惡的事，也不管這些事是否會影響到你。

案例45

覺得被母親糟蹋的布萊德

布萊德工作吃重，四個孩子和搖搖欲墜的婚姻讓他的壓力夠大了，卻仍然答應讓脾氣暴躁的母親茹絲搬來同住——茹絲因為與房東有所爭執，不得不搬離原本的公寓。母親搬進來沒多久，布萊德就發現太太有外遇，差點毀了他們的婚姻；同時，十幾歲的女兒還在學校抽大麻被逮。但是茹絲卻渾然不覺屋內劍拔弩張，還任意發表意見讓氣氛更緊繃。要是茹絲覺得被怠慢，就摔門、吼小孩、對寵物罵髒話，這一切讓布萊德覺得快崩潰了。

布萊德知道自己必須在健康和母親的權利感之間做選擇，於是他不斷和母親溝通，但徒勞無功。茹絲還是想當家，而且對布萊德的孩子和朋友很不友善。最終，布萊德要求茹絲搬到位在鎮上另一邊，現在出租給別人的房子。

茹絲很震驚，但布萊德很堅持。毫不意外的，茹絲爆出：「你不愛我！」這句話。

布萊德不為所動：「只是做點改變，沒必要這麼激動。我們愛妳，但妳該離開了，我們沒有責任照顧妳，妳可以照顧自己。」

「你要跟我收房租嗎？」茹絲問。

「會，含水電瓦斯的話，房租會比較高。」

在之後的晤談中，布萊德回顧了這次事件，並述說當下如何不被激怒。他告訴自己「這次不要被影響」，然後專注在他想要的結果——要茹絲搬出去。

布萊德終於明白，茹絲在自己岌岌可危的生活中增加了多少壓力：「她在屋子裡，我的血壓都快跟天一樣高了。我以前總想要處理好我們之間的關係，但老實說我一點也不想處理。我有精力，但那不是我想做的。」布萊德開始有不同看法，「雖然是一家人，但誰也無權糟蹋別人。」

學會疼惜、好好照顧自己

要照顧好自己，就得自我疼惜。知道自己的感覺並善待自己，是建立獨特個性的基礎，唯有自我疼惜，才知道付出的停損點。

自我疼惜具備療癒性，一開始可能會不太習慣，某位女士曾經如此形容：「看著小時候的自己經歷過許多事，這是我第一次為自己感到難過，就像憋住呼吸很久很久以後，終於吐了氣。那是種奇怪的感覺：難過、緊張、解脫、五味雜陳。現在我同理自己的童年有多痛苦、多身心俱疲。看著小時候的自己，就像靈魂出竅般，我終於能對自己說：『可憐的孩子。』」

悲傷和眼淚，在發現難以接受的真相時油然升起，是開始自我疼惜時的正常反應。若是你多年來一直未被認可，所有情緒之中最壓抑的就是悲傷。著名精神病醫師兼作家丹尼爾·席格（Daniel Siegel）傳神的描述情緒的療癒力，他說：「在真實感覺湧現時，如果花點時間去感受，就能夠轉變。感受深刻的情緒是處理重要新資訊的方法，對情緒有所覺知（包含悲傷的感受），是心理成長的內在運作。」

席格指出，當我們在感覺時，同時也在統合。所以我常說：「我們可以將眼淚視為某種生理訊號，代表意識與情感的統整過程。哭出這些深切領悟，一定會好過許多。哭泣將幫助你發展成更身心統合、多元豐富的人，這種情緒的轉變會讓你沉澱並重新振作。」

重拾感受自己的能力是一波接著一波的，有時會非常強烈，許多未處理的情緒讓人不知所措。這時可以向具同情心的朋友、治療師尋求安慰與支持，幫你度過這段期間。別害怕，**這是自然的過程，你的身體知道如何哭泣與悲傷。只要讓情緒流瀉，試著了解、體會，就會變成更成熟的人，對自己和他人更具同理心。**

學會不再過分同理他人

內求型是如此易感，以至於過度同理他人的問題或痛苦，有時甚至比當事人還在意。若有健康合宜的同理心，付出時就不會失了分寸。

案例46

學會控制想幫忙心態的蕊貝嘉

蕊貝嘉年邁的母親艾琳，是愛抱怨的外求型，什麼都看不順眼，就算蕊貝嘉使出渾身解數也無法取悅她。雖然蕊貝嘉很能掌握跟艾琳之間的界線，但還是有盲點。有次晤談中，蕊貝嘉犯了很基本的錯誤，當時她這麼說：「可是，想要她心情好沒什麼不對。」

「這就是了，妳看！」我大嘆。這個信念，就是發自蕊貝嘉為母親犧牲的偽自我。處心積慮要讓艾琳心情變好就是個大問題，因為它在餵養蕊貝嘉和母親的情感糾葛。我問蕊貝嘉是否能證明艾琳想要心情變好？艾琳過日子的方式顯然不是為了要讓心情變好，況且我也看不出她對蕊貝嘉的努力有正面回應。艾琳顯然不想要心情變好，蕊貝嘉的努力注定失敗，因為那根本就不是艾琳想要的。事實上，艾琳的生活重點在於「不想」得到需要的，蕊貝嘉幹麼阻撓呢？

有天，蕊貝嘉勸了母親一整天卻無功而返，晚上要離開時，艾琳看著她說：「要繼續來看我哦。」蕊貝嘉大吃一驚，她這麼努力想讓母親高興，真的是母親想要的嗎？所以她還是繼續去看母親，但控制自己想幫忙的心態，以免害怕去看她。蕊貝嘉終於明白艾琳永遠也不會快樂，但雙方都不必因此困擾。

學會在需要的時候向外界尋求幫助

不論孩提時或是成年後，情感缺失父母都可能讓你感到無助。缺乏父母關愛會讓你覺得——你想要的好像都不重要、只能等待他人給予。

我們必須知道，有強烈無助感的童年創傷，容易在長大後的無助時刻崩潰，並且覺得：就算自己無能為力，也沒人會幫忙。敏感的內求型在小時候容易受這種感覺影響，覺得無能為力，只能受權威者擺布，任由他人拒絕付出。

儘管這種受害者反應已根深柢固，但仍然可以重拾「需要幫助」的權利，在有必要時都能求助。為自己採取行動是對抗創傷的最佳解藥，儘管情感缺失父母會限縮你的人生和人際關係，但我希望你已經開始發覺這樣的可能性有多可貴，並且你有權開口尋求他人的幫助。

案例47

懂得掌控局面的可芮莎

可芮莎終於明白，自己在權威者身旁變得消極、無助是受到專橫父親鮑伯的影響。於是她探望雙親，準備觀察他們、表達自己、處理互動、試著達到她要的目標。這次的拜訪順利得讓她驚奇，多虧丈夫亞力山卓，父親才沒有發表政治高見或怨天尤人。當父親準備切入主題，亞力山卓就岔開話題，這讓鮑伯很困惑，也忘了自己要說什麼。

當全家聚在露台準備喝東西時，所有人都坐定後，鮑伯正要坐到面對所有人的「主講人」位置上，可芮莎立刻採取行動。她把椅子挪到父親身邊，避免他變成眾人的焦點。這一招很有效，也讓所有人都有機會聊到天，而不是只能聽父親滔滔不絕。她事後告訴我：「以前，我只會想著『哦，完了，死定了』，但這次我控制了局面。」可芮莎利用情感健全度覺知法處理了互動，也達到了她要的結果——共同參與。

學會自由的表達自己

對情感缺失者表達自己是很重要的自我肯定，就像插旗宣示你是獨立個體，有個人想法和感覺。記住，情感健全度覺知法中，重要的步驟之一就是表達自己，然後放手。

你必須放棄「如果父母愛我就會了解我」的觀念，獨立的成年人不必靠父母就能生活。也許無法和父母有理想的關係，但每次互動卻能讓你更滿意。你可以客氣的為自己發聲、有所改變而不用說明理由，就算他們不了解，你也是真實存在的。**表達自我的感覺是對自己真誠，而不是改變父母。再說，就算他們不懂你，但可能還是愛你。**

案例48

導正父親話題的荷莉

荷莉的父親梅爾是住在南方小鎮的理髮師，荷莉和父親通話內容也多是社區發生的事。荷莉有份高尚的工作——聯邦調查員，她渴望父親肯定她的成就，但每次提到她的工作或是成就，梅爾似乎就不知道該怎麼回應，反而常常打斷她，然後聊起自己的事。荷莉不斷與父親分享自己的生活，想要有更實質的交流，但他就是興趣缺缺，試過多次後，荷莉乾脆放棄，告訴自己要尊重父親。

但當荷莉在工作上遇到難關，向梅爾訴苦、尋求支持時，父親卻改變話題，聊起改建的縣府大樓。這一次，荷莉決定用不同方式，做清楚、親密的溝通。

「爸！」她叫道，「我還沒說完，我最近過得很不好。我很喜歡聽你的近況，但這次請聽我說好嗎？我需要跟你說話。」荷莉又驚又喜的發現，父親接受她導正話題，並且乖乖聽著。梅爾只是不夠敏感，不知道這時不宜改變話題。而荷莉也明白說出了自己的需求，終於覺得父親聽見她了。

學著與父母以新方式保有舊的關係

就像可芮莎和荷莉，你可以拋開舊的相處，專注在你想要的結果。**用新方式和父母互動，一次進行一種互動，練習把不實際的願望放在一邊，嘗試不再奢求與父母真情交流、或得到支持。**你並不是在否定自己的過去，只是接受了父母原本的樣子，且不帶任何期望。

父母有時候會用更真情的連結，回應這種誠實和中立的關係。這聽起來很矛盾：一旦停止改變他們，也許他們會更敞開心胸；當你變得堅強，而他們感到你不再需要他們的認同，也許就會更放鬆；當你不再嘗試贏得他們的關注，情感降到一個程度後，他們偶爾也可以忍受你更多坦率，因為不再害怕你的需求會把他們困在難以承受的親密感裡，也許就能像對待其他成人一樣，用更講理、更禮貌方式回應你。

要注意的是，當你真正放棄與他們建立深刻關係時，有可能發生這樣的情況，但也可能不會改變。但若你能對自己真誠、不帶感情、不抱期待的互動，就不容易觸動父母對親密感的防備心。放棄改變父母的療癒幻想，就是讓他們做自己。當他們不再處於改變的壓力之下，也許會用不同方式待你，不管哪個結果，你只需要安然接受。

學會不再從情感缺失父母身上找到情感關注

和情感缺失父母互動時，讓孩子最痛苦的是需要關心、愛或是溝通的時候。儘管父母並非付出型，然而許多被忽視的孩子，長大後仍不斷向父母尋求情感關注。

情感缺失父母會形成一種動力模式：要孩子以父母為焦點、視父母為安寧和自尊的來源。專注自我的父母喜歡孩子有求於己，如此就能成為孩子的中心、看到孩子依賴自己。這樣的狀態讓他們感到安全、有掌控權，若是孩子也順勢而行，父母就完全掌控了孩子的情緒狀態。

捫心自問是否真的需要父母，或是父母需要你的依賴？這個問題看來激進，然而，除去家庭中的角色跟幻想，父母可能根本就不是你會去尋求安慰的人。所以仔細想想你是否真的需要他們，還是只是兒時殘存的未竟需求，他們真的有你想要的東西嗎？

和情感缺失者互動都符合這種模式——無論是配偶、朋友或是親戚。儘管你並沒有想要對方付出情感，但你可能會一頭栽進去，認為自己必須和某人建立親密關係。

總結

這一章探討了：擺脫用來取悅情感缺失父母的角色和幻想後，會是什麼感覺。儘管你學會用要求完美的內在聲音苛求、排斥自己，你仍然可以找回真實自我、真心的想法與感覺，不必擔心他人的反應。你有了表達自我的自由，並且採取行動；你可以自由的疼惜自己，甚至憑弔小時候因情感缺失父母而蒙受的損失。你現在知道，第一要務就是照顧好自己，包括為付出設下底線（哪怕得中斷與父母的接觸也在所不惜）也不再需要因過度的同理他人而身心俱疲。此外，你也許會發現，當放棄父母接受你的情感需求後，雙方的互動就變得順暢許多；當你擺脫過去的家庭角色後，不需要改變父母就能有更坦誠的連結。

下一章，也就是本書的最後一章，我們將聊聊你可以如何利用情感健全度覺知法，去找到情感發展較健全的朋友及伴侶，我也將提供一些方針，教你如何培養新的態度和價值觀，讓你在未來有機會獲得有益且對等的關係。

Chapter 10

在未來的關係裡，學會找到情感健全的人

前一章我們談過，在關係中遵從真實自我、設下底線、為自己採取行動，就能重獲情感上的自由。這一章，你將學到如何辨認情感發展健全者，共創雙方都滿意的互動模式，也會說明該採取何種新態度應對，擺脫情感孤寂。

難過的是，大多數人都不相信感情能夠豐富人生，反而覺得只是場美夢。在這樣的想法之下，大多數人都害怕「沒有人真心想認識真實的自己」。這種負面期待加深了情感孤寂，但是只要察覺這些想法，就能改變。

為什麼我們容易被自我中心、剝削他人者吸引？

記得約翰·鮑比所說的：「人類的原始直覺認為，熟悉的事物就是安全的。」因

此，**由情感缺失父母扶養長大的孩子，會下意識受到自我中心、剝削他人者吸引**。許多身陷受虐關係的女性個案憶起高中時，會發現「好」男孩不吸引她們，且她們大多認為細心體貼的男生很無趣，也就是說，這些男生不夠自私、專橫，所以沒有足夠的吸引力。

對這些女性來說，自我中心的男性帶有不確定性，讓她們覺得刺激。但這到底是真的刺激，還是來自孩提時期，面對自我中心者時的焦慮顫抖？由心理治療師傑弗瑞・楊建立的「基模治療」（schema therapy）中指出，我們覺得最有魅力的人，會讓我們重演過去的負面家庭模式。他提醒我們，這種化學變化是危險信號，表示在潛意識裡重新啟動了偽自我。

這一章將會幫助你扭轉兩性關係裡的動力模式，利用新發掘的觀察能力，找出對情感上有益的人，而不會重蹈覆轍，讓自己更加孤寂。

情感健全者有哪些特徵？

接下來提供一些方針，幫助你辨識出情感發展較為健全者。之後，你就可以選擇跟符合這些行為特質的人交往，而不會在不知不覺間啟動熟悉的模式。無論是選擇約會對象、結交新朋友或是面試新工作，都可以利用本章所列的情感健全特質，找到可以建立長期、穩定關係的潛在對象（無論是面對面或透過網路平台）。沒有人是完美的，但好的人選應該要具備下列特色，才能豐富彼此關係，而不是相互磨耗：

務實而可靠，是情感健全的基本配備

務實、可靠聽起來很乏味，但這是基本配備。你可以把這一連串的特徵想成是房子的布局，若動線不方便，不管牆面漆上再漂亮的顏色都沒用。良好的關係應該像是設計完善的房子，住起來自在，而不會注意到刻意添加的規畫。

特徵❶ 結合現實，而非對抗

就算遇到不喜歡的事物，他們也會努力改變。他們看見問題時會想辦法解決，而不是反應過度，並且固執的認為事情「應該」要怎麼樣。若是無法改變，也會盡力而為。

特徵❷ 能同時思考和感覺

生氣時也能思考，是能與情感健全者講道理的原因。由於能夠同時思考和感受，遇到問題或衝突時較能順利解決。他們不會因為得不到自己想要的，就喪失換個角度看事情的能力，並且在提出問題時也能兼顧情感。

特徵❸前後一致，所以可靠

情感健全者具有整合的自我感，通常不會前後矛盾。即使歷經不同的情境，仍保持一貫、值得信賴。他們具有堅強的自我，加上內在的一致性，讓他們成為值得信任的人。

特徵❹不認為凡事都是針對自己

因為了解現實，所以情感健全者不容易被冒犯，也會自我解嘲。他們不是完美主義者，明白人難免犯錯，但會全力以赴。

覺得每件事都是針對自己，可能是自戀或是低自尊的表現。但這兩種特質都會在關係間造成問題，另一半會不斷向外尋求安全感；此外，這種人常覺得自己被打量、覺得受輕蔑或批評，這種防衛心就像黑洞般不斷吞食關係中的能量。

相反的，情感健全者明白人難免會說錯話，只要解釋過就不會想要再挖掘其中的負面意識。他們會把失禮看作是誤會，而不是排拒。他們了解現實，絕不會因為你犯了個錯就覺得自己不被愛。

情感健全者懂得尊重且互惠互補

情感健全者視他人為獨立個體，值得以尊重、公平的方式對待。下列特質揭示了他們的合作取向，你可以在他們對待你的方式上看見。你會覺得他們也在為你著想，而非只專注在自己的利益，這些特質就像是房子的基礎設備，例如暖氣、管線等。

特徵❶ 尊重你的界線

情感健全者天生有禮，自然而然就會尊重界線，要的是交流和親近，而不是打擾。然而，情感缺失者與人親近後，則往往把對方的付出視為理所當然，認為親近就表示不必重視規矩。

情感健全者會尊重對方的自我，不認為雙方想法相同才是愛的表現。相反的，每次互動都會考慮你的感受和界線。這聽起來似乎很費力，但情感健全者自然就會注意到別人的感覺。真正具同理心的人，天生便是細心體貼的。

雙方謙恭有禮、保有良好界線，意思是：不主導伴侶或朋友的感覺與想法，並且尊重對方有權決定自我。相反的，想要控制、纏人的人，就會依對自己有利的面向對你

「精神分析」。他們不尊重界線的方式是控制思想、告訴你該如何改變想法。情感健全者會把他的看法告訴你，但不會自命不凡。

若小時候遭受情感缺失父母的忽視，當他人不請自來的主動分析你，或是給你不中聽的建議時，你會隱忍。這對渴求得到回饋的人來說很普遍，因為那表示有人惦記著他們；但這種「建議」並不是滋養心靈的關注，只是在滿足自己的控制欲。

案例49

泰倫與過於強勢的女友

泰倫的女友席薇亞過於強勢，這讓泰倫很不舒服。然而，席薇亞最近又變本加厲，例如當泰倫說：「想要讓彼此冷靜一下。」席薇亞卻分析泰倫害怕承諾，說泰倫不了解眼前的她，想用過去來衡量她。

泰倫在這段感情裡愈來愈不快樂，席薇亞催促他要快樂些、要多笑，因為席薇亞想看到他的笑容。可是泰倫也有自己想要的：一個細心體貼、接受他的感覺，並會自我檢討的伴侶。

特徵2 懂得禮尚往來

公平、互相是良好感情的核心，情感健全者不喜歡占人便宜，也不喜歡遭人利用。

他們想幫忙，也願意付出時間，必要時也會要求關心和協助，比起接受更願意付出，但不接受長久的不平衡關係。

若在情感缺失家庭長大，最大的挑戰也許會是「互惠」——因為不是付出太多就是太少。因為當父母專注自我，會扭曲你對公平的直覺。若是內求型，或許就學會了：為了要被愛、被喜歡，就得付出多於接受，否則就毫無價值；若是外求型，可能會有錯誤的觀念：別人不是真的愛你，除非他們把你擺在首位並不斷付出，才能證明。

案例50

在感情中犧牲自己的丹

丹是離婚後才來治療的。他的前妻相當自我中心、不斷利用他的大方，也從不會回饋。治療後，他了解自己為前妻犧牲太多，破壞了公平原則。當丹開始練習不再過度大方、好好照顧自己時，他發現自己比較喜歡能互相體諒的女性。

起初，這種新的連結方式讓他不太習慣。像是請新女友吃一頓昂貴的晚餐後，他很訝異女方提出過幾天要招待他去聽音樂會。「你給了我一個很棒的夜晚，」她對丹說，「我也想讓你覺得開心。」丹為她的大方、互惠感到驚奇，他也立刻認出，她是情感健全者。

特徵❸ 知變通，並且善和解

情感健全者通常具有彈性，並且盡量公平客觀。其中一個可以注意的重要特質，就是當你改變計畫時，對方有什麼反應？他們能分辨是針對個人還是事出突然？他們是否會讓你知道他們的失望，卻不會對你發脾氣？當你讓他們失望時，只要同理對方並提出交換或讓步來安慰他們，情感健全者會先假定你不是故意的。

大部分情感健全者能夠接受生命中無可避免的改變、他們接納自己的感覺，並會在失望時另覓補償、能與人合作並接納他人的想法。

互相妥協時，情感健全者不會覺得自己有所放棄，相反的，你們雙方都會感到滿意。因為懂得合作、健全的人不會只想贏，所以你不會覺得被占了便宜。互相妥協、讓步並不是雙方互取所需，而是取得平衡。**良好的相互妥協是雙方都得到想要的結果；相反的，情感缺失者則傾向於壓迫對方就範，產生不公平的結果。**

處在不快樂關係中，人們常會說：「感情就是妥協，不是嗎？」但從他們的表情看出這無關妥協，而是被迫照對方的意思做。良好的互相妥協不該如此，而是就算沒有滿足所有想望，你也會感受到自己的需求受到重視。

信不信由你，和情感健全者互相協調時，妥協也能讓人愉快，一點也不痛苦。因為他們體貼周到，跟他們一起解決問題是件樂事，他們關心你的感受，希望你也快樂，若你不滿意結果，他們也不會草率了事。被如此體貼對待，這樣的妥協當然是很正面的經驗。

特徵❹ 脾氣溫和

在兩性關係中，愈早顯露脾氣表示個性愈糟糕。大部分的人在感情初始階段都會拿出最好的表現，所以要小心很快就顯露易怒本質的人。這表示對方可能容易受到刺激且不友善、認為自己可以對他人予取予求，更別提尊重了。暴躁易怒，並指望所有事都得照他們意思的人，絕對不是個好夥伴。若發現自己動不動就得去安撫某人的怒氣，那就該小心了。

人們體驗及表達憤怒的方式多到不勝枚舉，但情感健全者認為一直生氣讓人很不開心，所以會立刻排解。而比較不健全者，則會讓怒氣愈演愈烈，彷彿全世界都該配合他們。面對這樣的人，要提防他們把這樣的狀況視為理所當然，否則哪天發無名火的對象就是你。

會用「收回愛」來表達怒氣的人特別糟糕，不但問題沒解決，還讓對方覺得受到懲罰。情感健全者會告訴你哪裡不對，然後要你改採不同的方法，他們不會慍怒或板著臉很久，或讓你覺得戰戰兢兢。他們願意帶頭化解衝突，而不會對你冷戰。

確切的說，不管情感健全度如何，每個人都需要一些時間冷靜，才有辦法說生氣的原因。所以當雙方都在氣頭上時，不該急著解決問題。暫停通常很有用，能避免說氣話，況且也需要空間處理好自己的心情。

特徵❺ 願意受他人影響

情感健全者對自我具有安全感，當他人有不同看法時不會覺得受威脅，若有不懂的也不怕被人看輕。因此，**跟他們分享看法時，他們會傾聽並細想，雖然未必會同意，不過因為天生的好奇心，他們會試著了解你的觀點**。以研究兩性關係及婚姻聞名的約翰．高特曼，把這種特質形容為「願意被他人影響」，並且歸在他提出的「七大永續經營快樂關係原則」之中。

男人特別排斥伴侶提出新知，因為他們被教導成要有自信且抗拒被過度影響。若這種文化根深柢固，就可能妨礙親密關係中的互惠成長。然而，這也不是男性專屬的現象，許多女性也拒絕受別人影響，倔強的程度和男人不相上下。無論男女，只要「不願意考慮他人的觀點」，就表示在情感發展上不健全，在一起不會順利。

特徵❻ 誠實坦率

說實話是信任的基礎，也是誠實的指標。此外，也表示尊重對方的過去，情感健全者明白說謊或是讓你誤解時，你為何會生氣。

有時候，因為許多原因人們難以說實話，例如：和正在氣頭上或吹毛求疵的人互動時，就可能會為了自保而說謊。但是你可以相信，情感健全者在需要誠實的議題下會知無不言。

特徵❼ 願意道歉且改過

情感健全者願意為自己的行為負責，必要時也願意道歉，這種基本的尊重能修補受傷的信任和感覺，有助於維持良好關係。

情感缺失者也會道歉，但只是嘴上說說，或是為了讓對方息怒，但是不打算改變。這種道歉不是真心的，也會讓人覺得像是在逃避，而不是修復關係。誠懇的人不只會道歉，也會明白表示自己有心要改變。

當你希望對方表示他們傷害到你或是讓你失望時，他們是會為自己辯護？還是會試著改變？道歉是為了安撫你？還是想了解並關心你的感受呢？

案例51

希望丈夫自我反省的克莉斯朵

克莉斯朵從一封電子郵件證明了丈夫馬可仕有外遇，雖然馬可仕求她原諒，但餘波仍然差點毀了這段婚姻。分居一陣子後，克莉斯朵決定要修補與馬可仕的關係。她提出要釐清兩人之間究竟發生什麼問題，她需要了解，也需要知道更多細節。但馬可仕無法理解，只告訴她：「我都說很抱歉了，妳還想要怎麼樣？為什麼要一再重提？妳到底想要我怎麼做？」

答案很簡單，克莉斯朵想要馬可仕自我反省，然後解釋他為何有外遇，還想要馬可仕知道她覺得遭到背叛。同時，她也需要馬可仕聽她說話，而不是叫她閉嘴。遭受背叛的人通常會想知道所有細節，這種好奇心也許讓人不悅，但是得到解答可以幫助他們處理傷痛。只有道歉是不夠的，在克莉斯朵想弄懂的時候，馬可仕必須回答她的問題。

情感健全者，具有敏感的特質

當前述的基本特質都到位了，你也許希望對方還有更好的特質，為彼此關係增添溫暖和樂趣。下面列出的特質就像油漆或是家具，是讓房子變成家的元素。

特徵❶他們具有同理心，讓你有安全感

感情中，同理心能讓人在關係中感到安全。同理心加上自覺，也是「情緒智商」（Emotional Intelligence Quotient，簡稱EQ）的核心，能引導人們與他人交流時展現對社會有積極影響以及無私的行為。相反的，缺乏同理心的人會忽視你的感受，也無法想像你過去的經驗，或對你的感覺不敏感。同理心相當重要，當你們意見相左的時候，對方無法回應你的感受，就無法讓你有安全感。

案例52

艾倫與沒有同理心的男友

艾倫的男友缺乏同理心，當她分享當天發生的事時，還沒有說完，男友就會順著艾倫的故事把話題轉到自己身上。終於，艾倫鼓起勇氣要男友專心聽，並且要有同理心一點。但男友卻以為艾倫在嫌他，回嘴大罵說艾倫也沒有好到哪裡去。男友無法回應她的情感需求，因為他把艾倫的要求當成批評，跳起來為自己辯護。

特徵❷讓你覺得被看見、被了解

和想知道你的內心感受的人聊天是非常難得的。擁有某些感覺對你來說不再奇怪，

反而因為對方有共鳴，讓你覺得被了解。

若情感健全者對你有意思，會對你感到好奇：他們喜歡聽有關你的故事，也會想多認識你；他們會記得你告訴他們的大小事，然後在日後的對話中提及。他們喜歡你，因為你的不同而更有好感，代表他們想要認識你，而不是在尋找自己的倒影。

情感健全者會以正面的態度看待你，並且在心裡條列你的美好特質。他們會常常提到你的優點，好像比你還要了解自己。在被如此重視、接納的氣氛下，你會感受到可以做自己，而且會不由自主的告訴對方原本沒打算說的話，或是通常不會告訴別人的話。你也會注意到與他們分享愈多，他們也會更願意和你分享。而真正的親密感，就是如此發展而來。一旦他們信任你，他們就會用清楚且親近的方式和你溝通，讓你進入他們的內心世界。倘若你曾經遭受情感忽視，這會是一個全新且令人振奮的經驗。

你也會發現，**當你感到苦惱時，情感健全者不會退縮、不會害怕你的情緒，也不會告訴你不該有這種感受。**他們擁抱你的感覺，也願意傾聽。你也「會」想告訴他們所有事情，找到願意傾聽的人是美好、感受到認可的事。

特徵❸ 情感健全者喜歡安慰人，也喜歡被安慰

情感健全而敏感的人，具有流暢的情感交流本能。他們喜歡交心，遇到壓力時也會

付出並接受安慰。他們有同情心，也知道友善的支持很重要。

特徵❹ 願意反省自己的行為，並且試著改變

情感健全者會檢視並反省自己的行為。他們也許不懂心理學術語，但是他們很清楚人在情感上如何彼此影響。若告訴他們某個行為讓你不舒服，他們會認真看待，也願意得到這種回饋，因為他們喜歡親密感，希望藉由坦承的溝通而有所提升。這表示他們對另一半的觀點好奇且感興趣，渴望學習改善自己。

光說不做或道歉是不夠的，反省後採取的行動也很重要。情感健全者會刻意改變，以回應接收到的要求。若你清楚說出困擾，他們就會注意並確實改變。

案例53 覺得被丈夫忽視的吉兒

幾年來，吉兒設法讓丈夫正視他忽視了自己，但每次想激起他的同理心時都失敗，反遭丈夫數落自己難以取悅。隨著時間過去，丈夫拒絕反省的狀況，讓吉兒不再和他溝通。

不意外的，當在乎吉兒的想法跟感受的男人出現時，吉兒離開了丈夫。新伴侶在她提出意見時，會細想自己的行為，然後做出改變。

特徵5 會開玩笑，也不會把他人的玩笑當真

幽默是以輕鬆形式展現的同理心，也是具高適應性的應對機制。情感健全者非常具幽默感，也會用輕鬆愉快的方式緩解壓力。開玩笑可以拉近人與人之間的距離，也反映出放棄控制、追隨另一個人的能力。

情感缺失者常常無法用幽默強化與他人的關係，反而拿別人開玩笑。他們把幽默建立在別人的痛苦之上，以提高自尊。比如說，他們喜歡戲弄別人，或開一些讓人看起來愚笨、無能的玩笑。從這點就可以看出，他們會如何對待你。

帶著利刃的幽默（諸如挖苦）最好當成調劑，不宜經常使用。若用得有節制，能增添愉快的張力，若過了頭就會變成譏笑。**太常譏笑、挖苦他人者，可能是內心封閉、害怕交流的人，藉由著眼負面事物，以保護自己的情感。**

特徵6 在他們身邊感到愉快

這是一種難以形容的特質，但對於感情的圓滿卻很重要。回顧前面的所有特質，會發現情感健全者散發正面的氛圍，讓人覺得相處起來很愉快。當然他們不是隨時都很快樂，但似乎都能製造出好心情，並且享受人生。有位女士在一連串的不愉快關係後，終

於找到了人生伴侶，認定這個人的原因是：她總是很享受在他身邊的時光，哪怕只是去超市。

如何從網路交友，找到情感健全者

這一章列出來的特質，也適用於網路交友。事實上，線上接觸提供了絕佳練習機會，透過閱讀他人的檔案、電子訊息，思考這些資料顯示出對方是什麼樣的人。

雖然有些人文筆比較好，但書寫會透露個人想法、價值觀、重視的東西，當然也能看出是否有幽默感、是否對別人的感受敏感。此外，閱讀他人的文字，讓你有時間注意這些訊息給你什麼感覺，第一次通話也讓你有空間觀察、注意對方說的話，同時又不洩漏自己的表情以及私人的非語言反應。

利用這些交會，問問自己：他們是否尊重你的界線？想用怎麼樣的速度認識彼此？馬上就熱絡起來是否讓你有壓力？還是他們讓你等太久才有回應？是否覺得他們在認識你之前就對你有期望？還是他們有點冷淡，你得加把勁才能持續互動？他們會禮尚往來嗎？他們會提到你在前一封電郵裡說過的話，還是會立刻切入自己的話題？他們會問問題讓對話持續以便多認識你，或想知道你對某些議題的看法嗎？對方容易約，還是常常無法配合？

看完資料、電子郵件或訊息後，花點時間記錄對對方的印象，可以幫你學會把注意力放在直覺。由於少了面對面互動的壓力，實行起來會容易許多。你覺得做自己很自在？還是覺得好像得留意說話的內容和方式？觀察自己的反應很重要，而透過網路正是絕佳的機會。

評量5

檢測一下，看看對方是否能給你想要的互動

我將前面所舉的特質全都整理在下方的檢核表中，你可以用來判斷這個人是否能給你想要的互動。

實際而可靠

- □ 會結合現實，而非對抗。
- □ 能同時思考和感覺。
- □ 前後一致，所以可靠。
- □ 不認為凡事都針對自己。

懂得尊重且互惠互補

- □ 尊重你的界線。
- □ 禮尚往來。
- □ 知變通，並且善和解。
- □ 脾氣溫和。
- □ 願意受他人影響。
- □ 誠實坦率。
- □ 願意道歉且改過。

敏感的

- □ 他的同理心讓你有安全感。
- □ 讓你覺得被看見、被了解。
- □ 喜歡安慰人，也喜歡被安慰。
- □ 會反省自己的行為並且試著改變。
- □ 會開玩笑，也不會當真。

□在他身邊令人感到愉快。

具有愈多項特質的人，愈有可能培養出愉悅、真誠的交流。

培養有助情感的互動能力、邁向你想要的關係

你已經學會辨認哪些是情感健全者。現在，感情拼圖只缺最後一片，那就是：自己的態度。在這最後一節中，我們會提供可以採用的新習慣，讓互動更雙向。努力培養這些行為有助於感情開花結果，畢竟，培養出互動能力，也是邁向你想要的關係的重點。

練習 5

讓自己從情感孤寂的童年中解放

讓我們將建立情感健全的形象，做為努力的目標。下方列出情感健全者在感情中可能會有的互動與反應，你可以閱覽這些新的行為、觀念和價值觀，然後選幾樣來練習。一次只要選一、兩項就可以了，有幾項可能比較困難，練習

時可以對自己仁慈點。

❶願意開口求助

- 在需要的時候求助。
- 提醒自己，若有需求，大部分的人在能力範圍內都很樂意幫忙。
- 用清楚、親近的溝通方式表達我想要的，說明自己的感覺以及原因。
- 我願意相信，若開口要求，大部分的人都會傾聽。

❷不論別人是否接納，都可以做自己

- 清楚、有禮、不帶敵意的表明想法時，不會過度擔心別人怎麼想。
- 量力而為，絕不過度付出。
- 讓他人明白自己的真實感受。
- 不做事後會後悔的事。
- 若有人說了讓我覺得被冒犯的話，我會提出不同的觀點，但不會想改變對方，只是表達自己的立場而已。

❸ 維持並且珍惜情感交流

- 努力和我在乎的、特別的人保持聯繫，並且回覆他們的來電或電子訊息。
- 把自己當做有能力的人，在朋友之間有資格付出和獲得幫助。
- 就算別人說的話不中聽，也會留心他們是否真心想幫我。若是他們的努力讓我覺得心靈得到滋養，我會表達感謝。
- 被人激怒的時候，會思考自己想說的話是否能增進彼此感情。冷靜下來後，詢問對方是否願意溝通。

❹ 對自己有合理的期許

- 牢牢記住不是每件事都得盡善盡美，我會盡力完成，而不會因為事情不夠完美而煩憂。
- 累了就休息，或是做別的事。超過負荷時，體能會告訴我，不會等到意外發生或是生病才停止。
- 犯錯時，記得自己只是人。就算預先想好每件事，但結果不可能總如我意。

- 記得每個人都對自己的感覺有責任，也有責任表達需求。不會踰越常理去揣測別人想要什麼。

❺ 清楚的溝通，主動尋求我要的結果

- 除非我主動說，否則不期待他人知道我需要什麼。關心不代表他們知道我的感覺。
- 若是親近的人惹我生氣，依循痛苦找到我未曾留意的需求，然後用清楚、親近的溝通，指引他們該如何給予。
- 感覺受傷時，先了解自己的反應，是什麼觸發我過去的感覺？還是這個人真的很不敏感？如果是因為對方不敏感，我會請他聽完我說的話。
- 體貼他人，若他們沒有同樣對待我，請他們周到些，然後就放下。
- 不斷提問，直到得到明確的回答。
- 疲於互動時會客氣說出來，詢問是否可以改日繼續，並解釋自己只是沒電了。

你可以感受到，若這些描述都適用於你，是否會覺得更有活力以及輕鬆？你會在關係中變得積極且能自我表達、仁慈的對待自己，並且期望被他人傾聽，讓你從情感孤寂中解放。就算小時候沒學過這些價值觀和互動方式，現在也可以培養。情感缺失父母的教養也許扼殺了自我接納、自我表達，及對真摯親密感的希望，但你已經長大，沒什麼能阻止你了。

總結

這一章介紹了情感健全者的共同特質，讓你更輕易認出他們。本章也簡要的整理出連結的新方式，有助你創造更滿意、更具支持性的關係。現在你知道情感健全者的樣貌，不會想和只付出些許關心、在關係中貢獻極微的人定下來。你將能夠尋找你想要的，並且自在的觀察他人，直到找到對的人。當你反思自己的感情和溝通能力時，你會發現通往幸福關係的鑰匙，其實一直掌握在你手中。

—後記—

找回自我、找回完整的自己

了解過去、開始新的未來，過程將是苦樂參半。重新挖掘自己的事，以及這些事如何影響了你的選擇，會激起你對失去的，或從未擁有的哀痛。

無論想不想看見，只要做到這些就能照亮一切。當你決定挖掘自己和家人間的關係真相時，也許會對這些隱藏的事實感到意外，尤其當你看見這些模式是如何代代相傳。有時候，你會懷疑是否知道這些訊息是好的，甚至會覺得不知道比較好，而這都要看你覺得生命中什麼是最重要的。對你來說，追尋真相和認識自我，是否重要且有意義？

能回答這個問題的人唯有你自己。但根據我和其他無數人的經驗，**重大的覺察會帶來與世界更寬廣、更深刻的聯繫。當我們奮力跨越艱苦的過去，會讓現在的一切更真實而可貴。**而當你開始真正了解自己與家人，也許會湧現前所未有的感恩。當你解決了情感缺失者所挑起的困惑和挫折以後，就會覺得人生輕鬆、容易許多。我希望，這本書不只讓你了解自己和家人，還能讓你遠離不再適用的家族模式，以及讓你的生活更自由的貼近真實想法跟感覺。

當個案第一次發現自己的真實感覺，還有終於能辨認出情感缺失的行為時，我看見他們的臉上出現了美妙又平和的表情，也許這就叫做「頓悟」吧。他們沒有人想回到懵懂的過去，每當他們又發現關於自己的真相時，就會體驗到重新建立自我的感覺，儘管也會對過去感到懊悔，但他們清楚感受到完整感籠罩著他們，彷彿生命在這一刻重新開始了。

確實，會試著發現自我並致力情緒發展的人都能獲得新生。對還被困在過去家庭角色與幻想中的人來說，這是無法想像的。當你接受自己是誰、還有生命中的一切，你就能重新開始。有人說過：「我知道自己究竟是誰了，沒有人能夠改變，只有我可以。」

沒有任何理由能阻止你從現在開始擁有幸福人生，其實，我認為唯有成為「有自覺的成年人」才擁有幸福人生，會比一開始就擁有還要有益，因為能夠有意識的親臨自己的新生，是很不可思議的事。有多少人能喚起或是意識到自己注定成為什麼樣的人呢？有多少人能夠獲得新生呢？

告訴我，為了擁有獲得新生的機會，這些痛苦值得嗎？你是否很高興自己選擇了覺悟之路？

你覺得高興對嗎？我也是。

Adult Children of Emotionally Immature Parents

假性孤兒

他們不是不愛我，但我就是感受不到

作　　者：琳賽・吉普森（Lindsay C. Gibson）
譯　　者：范瑞玟

小樹文化股份有限公司
社長：張瑩瑩｜總 編 輯：蔡麗真｜副總編輯：謝怡文｜責任編輯：謝怡文｜行銷企劃經理：林麗紅
行銷企劃：蔡逸萱、李映柔｜校對：林昌榮｜封面設計：馬孝忠、周家瑤｜內文排版：洪素貞

讀書共和國出版集團
社長：郭重興｜發行人：曾大福｜業務平臺總經理：李雪麗｜業務平臺副總經理：李復民
實體通路暨直營網路書店組：林詩富、陳志峰、郭文弘、賴佩瑜、王文賓、周宥騰
海外暨博客來組：張鑫峰、林裴瑤、范光杰｜特販通路組：陳綺瑩、郭文龍
電子商務組：黃詩芸、陳靖宜、高崇哲｜專案企劃組：蔡孟庭、盤惟心
閱讀社群組：黃志堅、羅文浩、盧煒婷｜版權部：黃知涵｜印務部：江域平、黃禮賢、李孟儒
發　　行：遠足文化事業股份有限公司
地址：231新北市新店區民權路108-2號9樓
電話：(02) 2218-1417 傳真：(02) 8667-1065
客服專線：0800-221029
電子信箱：service@bookrep.com.tw
郵撥帳號：19504465遠足文化事業股份有限公司
團體訂購另有優惠，請洽業務部：(02) 2218-1417分機1124

法律顧問：華洋法律事務所 蘇文生律師
出版日期：2016年9月14日初版首刷
2022年12月28日二版首刷

ISBN 978-626-96756-3-0 (平裝)
ISBN 978-626-96756-2-3 (EPUB)
ISBN 978-626-96756-1-6 (PDF)

特別聲明：有關本書中的言論內容，不代表本公司/出版集團之立場與意見，文責由作者自行承擔。

國家圖書館出版品預行編目資料

假性孤兒：他們不是不愛我，但我就是感受不到／琳賽・吉普森（Lindsay C. Gibson）著；范瑞玟譯 – 二版 -- 新北市：小樹文化股份有限公司 出版；遠足文化事業股份有限公司 發行，2022.12
面；　公分 --
譯　自：Adult children of emotionally immature parents: how to heal from distant, rejecting, or self-involved parents
ISBN 978-626-96756-3-0（平裝）
1. 心理衛生 2. 親子關係 3. 問題家庭

172.9　　111020284

小樹文化官網　　小樹文化讀者回函